제1판

교원임용 교육학 논술대비

최원휘 SELF 교육학

핵심개념 456

모범답안
&
빈칸암기노트

최원휘 저

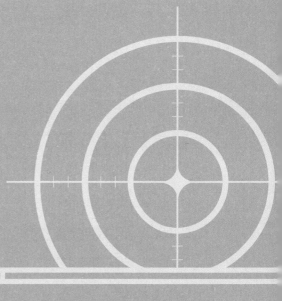

박문각 임용 동영상강의 www.pmg.co.kr

박문각

CONTENTS
이 책의 차례

최원휘 SELF 교육학
핵심개념 456
모범답안 & 빈칸암기노트

I

교육철학 및 교육사

01 교육의 기초

◑ 본책 p.012
◑ 빈칸 빠른답안 p.178

001 교육의 어원

동양에서는 교육의 의미를 주로 성숙한 교사가 미성숙한 학생을 이끌어주는 것이라고 본다. 이를 통해 볼 때 교육에 관한 동양적 어원의 특징 3가지는 다음과 같다. 첫째, 교사와 학생의 관계는 [　　㉠　　]을(를) 전제한다. 둘째, 학생은 지식과 기술을 전달받아야 하므로 교육에서 [　　㉡　　] 태도를 지니게 된다. 셋째, 교육방법은 주로 [　　㉢　　]을(를) 활용하면서 학습 내용을 일방적으로 전달한다.

002 교육의 비유

교육의 비유와 관련하여 최 교사와 같이 학생에게 일정한 교육과정을 제공하는 관점을 [　　㉠　　] (이)라고 하며, 정 교사와 같이 학생의 특성에 따라 다른 교육 환경을 조성하는 관점을 [　　㉡　　] (이)라고 한다. [　　㉠　　]에서 교육의 목적은 절대적인 지식의 습득이며, 이때 교사의 역할은 [　　㉢　　](이)라고 할 수 있다. 반면 [　　㉡　　]에서 교육의 목적은 [　　㉣　　] 이며, 이때 교사의 역할은 학습자의 성장을 도와주는 조력자라고 할 수 있다.

003 교육의 의미

피터스(R.S. Peters)는 내재적 가치를 추구하는 교육을 강조하면서 교육을 합당하게 하는 준거로 3가지를 제시한다. 첫째, [　　㉠　　](이)다. 이는 바람직성과 관련한 것으로, 교육목적은 수단적 · 도구적 목적이 아닌 그 자체로 가치가 있는 것을 추구해야 한다. 둘째, [　　㉡　　](이)다. 이는 지식과 관련한 것으로 교육내용은 지식과 이해, 인지적 안목 등을 포함하여야 한다. 셋째, [　　㉢　　](이)다. 이는 도덕성과 관련한 것으로, 교육방법은 세뇌와 같은 방식이 아닌 도덕적으로 온당한 방식이어야 한다.

004 교육의 목적 ★

교육의 목적은 크게 내재적 목적과 외재적 목적으로 구분된다. 교육의 내재적 목적이란 다른 것을 위한 수단으로서 교육이 아닌 [㉠](이)가 가지고 있는 목적을 의미한다. 예를 들어, 교육을 통한 합리성의 발달, 학습자의 [㉡] 등이 이에 해당한다. 반면, 교육의 외재적 목적이란 인간의 필요에 의해 어떤 목적을 달성하기 위한 수단으로서 교육이 가지고 있는 목적을 의미한다. 예를 들어, 경제 성장, 학습자를 [㉢](으)로의 육성 등이 이에 해당한다.

005 우리나라의 교육 ★

헌법 제31조 제1항에서 모든 국민에 대한 균등한 교육을 강조하면서 교육의 [㉠]을(를) 추구한다. 이와 더불어 능력에 따른 교육을 강조하므로 교육의 [㉡]을(를) 추구하고 있다. [㉡]은 수준별 맞춤형 교육을 통해 확보되므로 이 이념과 관련한 교육정책으로 [㉢]을(를) 들 수 있다. [㉠]은 교육에서 차별을 없애면서 확보되므로 이 이념과 관련한 교육정책으로 [㉣]이(가) 있다.

006 우리나라의 교육

학습권은 학습을 통하여 인간으로서 성장할 권리를 의미한다. 학습권은 크게 4가지로 구분되는데, 이 중 두 번째에 들어갈 권리는 교육을 요구하고 [㉠]할 권리라고 할 수 있다. 이를 실현하는 대표적인 정책으로는 고교에서 학생들이 배울 과목을 선택하는 [㉡]을(를) 들 수 있다. 다음으로 세 번째에 들어갈 권리는 교육에 관한 결정 과정에 [㉢]할 권리라고 할 수 있다. 이를 실현하는 대표적인 정책으로는 학생들이 학급 운영을 위해 자유롭게 참여하는 [㉣]을(를) 들 수 있다.

Answer

001 ㉠ 수직관계 ㉡ 수동적 ㉢ 강의식
002 ㉠ 주형의 비유 ㉡ 성장의 비유 ㉢ 지식의 전달자 ㉣ 학생의 잠재 가능성 발현
003 ㉠ 규범적 준거 ㉡ 인지적 준거 ㉢ 과정적 준거
004 ㉠ 교육 그 자체 ㉡ 자아실현 ㉢ 사회적 인재
005 ㉠ 형평성 ㉡ 수월성 ㉢ 영재교육 활성화 / 수준별 반 편성 ㉣ 무상급식
006 ㉠ 선택 ㉡ 고교학점제 ㉢ 참여 ㉣ 학생자치회

02 교육의 역사

● 본책 p.015
● 빈칸 빠른답안 p.178

---

007 한국교육사

조선시대 과거 시험의 대표적 방식은 크게 강경과 제술로 구분된다. 강경이란 [㉠] 방법을 활용하면서 고전에 대한 [㉡]을(를) 평가하고자 한다. 반면 제술은 [㉢] 방법을 활용하면서 [㉣]와(과) 고문의 활용 능력 등을 평가하는 특징을 지닌다.

---

008 한국교육사

조선시대 서당에서의 교수·학습상의 특징은 다음과 같다. 첫째, 학습자별로 다른 학습량을 고려하는 [㉠]을(를) 지향한다. 둘째, 필요한 내용을 완전히 암송하는 경우에만 다음 단계로 넘어가므로 [㉡]을(를) 추구한다. 셋째, 암송 외에 놀이를 통한 학습 방법을 활용하여 학습자의 [㉢]을(를) 자극한다.

---

009 한국교육사

갑오개혁 중 교육에 관한 내용은 다음과 같다. 첫째, 시험을 통해 관리를 선발하는 [㉠]을(를) 폐지하였다. 둘째, 최초의 교육행정기구로서 [㉡]을(를) 설립하였다. 셋째, [㉢]을(를) 발표하여 외국의 학술과 기예를 교육하는 근대 교육을 수용하였다. 넷째, [㉣]을(를) 발표하여 실용적 교과를 도입하고 덕·체·지를 강조하였다.

010 　고대 그리스 교육

고대 그리스 문화의 특징은 다음과 같다. 첫째, 인간임을 자각하고 아름답게 사는 것인 [　　ㄱ　　], 둘째, 조화의 아름다움을 추구하는 [　　ㄴ　　], 셋째, 폴리스로 대표되는 자유로운 공동체 문화를 들 수 있다. 이런 문화적 특징을 기반으로 하는 아테네의 교육은 인문주의 교육과 [　　ㄷ　　]을(를) 통해 지혜로운 사람을 육성하는 것을 목적으로 한다.

011 　고대 그리스 교육　★

소크라테스는 보편적·절대적 진리를 탐구하기 위한 교육방법으로서 대화법을 강조한다. 대화법의 특징은 다음과 같다. 첫째, [　　ㄱ　　]을(를) 통해 고정관념을 깨뜨린다. 교사는 학생에게 질문을 거듭해 나가면서 학생들이 무지에 대해 지각하게 한다. 둘째, [　　ㄴ　　]을(를) 통해 진리를 발견하게 한다. 고정관념이 깨진 상황에서 핵심 질문을 통해 학생 스스로가 보편적·절대적 진리를 발견하도록 유도한다.

012 　고대 그리스 교육　★

고대 그리스에서 합리적이고 지혜로운 인간을 육성하기 위해 자유교육을 강조한다. 자유교육이란 [　　　　　　　ㄱ　　　　　　　](으)로서 [　　ㄴ　　](으)로부터의 자유를 추구하는 교육을 의미한다. 자유교육의 특징으로는 첫째, 교육은 어떤 목적 달성을 위한 수단으로서가 아니라 진리 그 자체의 가치를 추구하는 [　　ㄷ　　] 목적을 지닌다. 둘째, 교육을 통해 전인적 개인의 완성을 강조하면서 공동체 일원으로서 개인을 성장시키고자 한다.

Answer

007 ㉠ 구술면접 ㉡ 암기력 ㉢ 글짓기 / 논술 ㉣ 표현력
008 ㉠ 개별 맞춤형 교육 ㉡ 완전학습 ㉢ 흥미 / 동기
009 ㉠ 과거제 ㉡ 학무아문 ㉢ 홍범 14조 ㉣ 교육입국조서
010 ㉠ 휴머니즘 ㉡ 코스모스 ㉢ 자유교육
011 ㉠ 반문법 ㉡ 산파술
012 ㉠ 자유 시민으로서 자유를 누리고 선용하는 능력을 기르기 위한 교육 ㉡ 무지 ㉢ 내재적

013 　중세의 교육

서양 중세의 경우 ⬚⬚⬚ ⬚ ⬚⬚⬚ , 봉건제, ⬚⬚⬚ ⬚ ⬚⬚⬚ 을(를) 특징으로 한다. 중세 전기에는 기독교의 영향력이 강해, 이때 교육의 특징은 강한 종교적 성향을 지닌다. 따라서 교회에서 학교를 설립·운영하여 신앙 활동과 교육 활동을 병행하였다. 상공업이 발달한 중세 후기에는 종교적 성향이 약해지고 교육의 세속적 성격이 강해진다. 그러면서 영주의 이권을 보호하기 위한 ⬚⬚⬚ ⬚ ⬚⬚⬚ , 상공인의 성장에 따른 시민교육이 발달하게 된다. 따라서 이전보다 시민의식이 성장하면서 지식에 대한 탐구가 증가하게 되었는데, 학생과 교수로 구성된 ⬚⬚⬚ ⬚ ⬚⬚⬚ (이)가 모이는 과정에서 대학이 등장하게 되었다.

014 　르네상스기의 교육

르네상스란 14~16세기 서유럽에 나타난 문화운동으로 ⬚⬚⬚⬚⬚⬚ ⬚ ⬚⬚⬚⬚⬚⬚ 을(를) 의미한다. 이 시기 교육의 특징은 크게 개인적 인문주의와 사회적 인문주의로 구분되는데, 개인적 인문주의는 그리스의 자유교육을 기반으로 개인의 자유로운 사고와 표현을 인정하며 학생의 ⬚⬚⬚ ⬚ ⬚⬚⬚ 을(를) 존중한다. 반면, 사회적 인문주의는 교육을 통해 ⬚⬚⬚ ⬚ ⬚⬚⬚ 을(를) 목표로 하면서 사회적 자아를 실현하는 것을 강조한다.

015 　종교개혁기의 교육

종교개혁은 16~17세기 유럽에서 로마 카톨릭 교회의 쇄신을 요구하며 등장한 개혁운동으로서 이것이 교육에 미친 영향은 다음과 같다. 첫째, 라틴어로 된 성서를 다양한 언어로 번역하고 일반 대중에게 배포하는 과정에서 ⬚⬚⬚ ⬚ ⬚⬚⬚ 에 대한 관심이 촉발되었다. 이에 대한 관심은 추후 고타교육령 등과 같이 공교육의 확대로까지 이어지게 된다. 둘째, 종교개혁을 통해 등장한 신교에서는 신에 의해 주어진 소명인 직업을 강조하였는데, 이러한 과정에서 직업의 신성함과 소중함을 인식하는 ⬚⬚⬚ ⬚ ⬚⬚⬚ 이 (가) 발전하였다.

016   실학주의 교육   ★

서양의 17세기에는 과학의 발달과 지리상의 발견, 귀납법과 연역법으로 대표되는 새로운 진리 탐구
방법 등이 새롭게 나타났다. 이러한 흐름 속에서 실학주의는 과거의 추상적인 진리 탐구에서 벗어나
[㉠]인 것으로부터 진리를 추구하는 과정에서 등장하게 되었다. 따라서 실학주의 교육의
특징은 다음과 같다. 첫째, 문법과 같은 형식의 암기보다는 [㉡]의 직접적 경험을 강조한다.
둘째, 고전문학 교과보다는 [㉢]의 학습을 강조한다. 셋째, 언어를 통한 표현보다는
[㉣]을(를) 통한 표현을 강조한다.

017   실학주의 교육   ★

실학주의는 크게 인문, 사회, 감각적 실학주의로 구분되는데 각각의 주요 내용은 다음과 같다. 첫째,
인문적 실학주의에서는 고전의 내용을 중시하면서 [㉠]을(를)
강조한다. 둘째, 사회적 실학주의에서는 서적에만 머무는 교육이 아니라 [㉡]에서 이루어지는
교육을 강조하여 사회생활과 직접적으로 관련 있는 교과 학습을 중시한다. 셋째, 감각적 실학주의에서는
감각을 통해 받아들이는 경험이 모든 교육의 기초라고 주장하면서 교육방법으로서 과학기술을 활용하는
[㉢]을(를) 강조하였다.

018   근대의 교육

근대에 들어서면서 다양한 형태의 교육사상이 나타난다. 자연주의 교육은 문자나 서적 중심의 인위적인
교육에 반대하면서 구체적인 사물과 세계를 교재로 [㉠]을(를) 학습하는 것을 특징으로
한다. 19세기의 신인문주의 교육은 이성주의, 합리주의를 강조하는 주지주의적 입장에 반발하면서
[㉡] 입장에 근거한 [㉢]을(를) 강조하였다.

Answer

013 ㉠ 기독교 ㉡ 스콜라 철학 ㉢ 기사도 교육 ㉣ 길드
014 ㉠ 고대 그리스의 학예와 철학에서 추구했던 인문주의를 부활·재생하자는 운동 ㉡ 개성 / 흥미 ㉢ 사회 개혁
015 ㉠ 대중교육 ㉡ 직업교육
016 ㉠ 경험적 / 구체적 / 실제적 ㉡ 실제적 내용 ㉢ 자연과학 교과 ㉣ 실천 / 행동
017 ㉠ 고전의 실생활 응용·활용 ㉡ 실생활 ㉢ 시청각교육
018 ㉠ 자연의 법칙 ㉡ 주정주의적 ㉢ 전인교육

03 교육철학

● 본책 p.019
● 빈칸 빠른답안 p.179

---

019 | 전통철학과 교육

진리가 무엇인가에 따라 전통철학의 관점을 구분할 수 있다. 이 교사와 같이 불변하는 진리를 가정하는 관점을 [㉠   ](이)라고 하며, 박 교사와 같이 진리는 객관 세계의 법칙과 질서라고 가정하는 관점을 [㉡   ](이)라고 한다. [㉠   ]에 근거할 때 교육 내용은 철학·신학 등 체계화된 교과에 해당하며 주된 교육 방법은 정선된 문화를 전달하는 [㉢   ]을(를) 활용한다. [㉡   ]에 근거할 때 교육 내용은 수학·자연과학 등 과학적 지식에 해당하며, 주된 교육 방법은 가설을 설정하고 법칙을 발견하는 [㉣   ]을(를) 활용한다.

---

020 | 전통철학과 교육

진리가 무엇인지에 관한 자연주의와 실용주의는 다른 관점을 지닌다. 자연주의에서는 진리란 [㉠   ] 속에 있으므로 주변 환경과의 직접적 경험을 통한 학습을 강조한다. 실용주의에서는 진리는 [㉡   ]하므로, 개인의 욕구, 흥미, 필요에 따른 다양한 교육 방법의 활용을 강조한다.

---

021 | 교육철학 사조   ★★

모든 교육의 중심에 아동을 두는 진보주의의 교육목적은 [㉠   ](이)다. 이를 달성하기 위한 구체적인 교육 방법으로는 첫째, 실생활과 관련한 문제를 제시하고 스스로 해결하게 하는 [㉡   ], 둘째, 타인과의 협력을 통해 실생활 문제를 해결하는 [㉢   ] 등을 들 수 있다.

022 　교육철학 사조　　　　　　　　　　　　　　　　　　　　　　　　　　　★★

진보주의 교육철학 사조의 특징은 아동의 [　　⊙　　]을(를) 고려하는 교육 속에서 교사가 조력자의 역할을 수행한다는 것을 들 수 있다. 이러한 특징을 고려했을 때 의의는 아동의 개별적 흥미와 욕구를 우선하여 [　　ⓒ　　]을(를) 실현한다는 점을 들 수 있다. 반면, 한계로는 교사가 조력자로서의 역할만 하는 경우 학습자를 과대평가하고 필요한 내용을 가르치지 않아 [　　ⓒ　　](이)가 발생할 수 있다는 점을 들 수 있다.

023 　교육철학 사조　　　　　　　　　　　　　　　　　　　　　　　　　　　　★

과거로부터 전해오는 기본 교과의 학습을 강조하는 교육철학 사조를 [　　⊙　　](이)라고 한다. 이 교육철학 사조에서 강조하는 교육 내용은 [　　　　ⓒ　　　　](이)라고 할 수 있으며, 이를 가르치는 교육 방법은 교사 중심의 강의식 수업을 들 수 있다. 따라서 기본적인 내용의 전달을 통해 기초학력 보장 측면에서 의의를 지니지만, 교사 중심의 전달만을 강조하여 [　　　　ⓒ　　　　]에 있어서는 한계를 지닌다.

024 　교육철학 사조　　　　　　　　　　　　　　　　　　　　　　　　　　　　★

아들러는 파이데이아 제안을 통해 진보주의를 비판하면서 고전교육의 가치를 존중하고자 하였다. 파이데이아란 [　　　　⊙　　　　]을(를) 의미한다. 현대에도 고전교육이 필요한 이유는 고전을 통해 습득한 [　　ⓒ　　]은(는) 일생에 걸친 성장에 기반이 되기 때문이다. 이러한 고전교육을 실시하는 항존주의적 방법으로는 절대적 진리에 대해 교사가 주도해서 알려주는 [　　ⓒ　　]을(를) 들 수 있다.

Answer

019 ⊙ 관념론 ⓒ 실재론 ⓒ 강의식 ② 실험식 / 탐구식
020 ⊙ 자연의 법칙(질서) ⓒ 언제나 변화
021 ⊙ 아동의 흥미와 욕구를 충족하면서 아동의 전인적·계속적 성장 도모 ⓒ 문제해결학습 ⓒ 협동학습
022 ⊙ 흥미 / 욕구 ⓒ 개별 맞춤형 수업 ⓒ 기초학력 저하
023 ⊙ 본질주의 ⓒ 민족적 경험이 엄선되어 체계화된 문화유산 ⓒ 학습자의 적극적인 학습 참여 유도
024 ⊙ 모든 인류가 소유해야만 하는 일반적 학습 ⓒ 기본 교양 ⓒ 강의식 수업

025 교육철학 사조 ★

진보주의의 변형으로서 재건주의는 교육을 통해 새로운 사회를 건설하고자 하였다. 즉, 재건주의의 교육목적은 학생들이 사회 재건의 주체가 되도록 [＿＿＿＿＿ ㉠ ＿＿＿＿＿](이)라고 할 수 있다. 이러한 목적을 달성하기 위한 교육방법으로는 첫째, 민주사회 구성원으로 성장하게 하는 [＿＿ ㉡ ＿＿], 둘째, 현실 사회문제를 적극적으로 대처하게 하는 [＿＿ ㉢ ＿＿]을(를) 제시할 수 있다.

026 현대의 교육철학 ★★

실존주의는 2차례의 세계대전을 통해 상실된 인간성을 회복하고자 등장하였다. 따라서 실존주의 교육철학의 교육목적은 교육을 통해 [＿＿＿＿＿ ㉠ ＿＿＿＿＿](이)라고 할 수 있다. 실존주의에서는 학생 개개인의 독자적 삶과 자유를 존중하는데, 이를 위해 부버는 [＿＿ ㉡ ＿＿]을(를) 통한 교육을 강조하였다. 즉, 대화와 토론을 통해 학생들이 스스로 각성하여 자아를 발견하도록 하는 상호작용적 교육방법을 제시하였다.

027 현대의 교육철학

피터스는 교육의 주요 개념에 대해 논리적인 언어분석을 시도하는데, 이러한 교육철학 사조를 [＿＿ ㉠ ＿＿](이)라고 한다. 이 교육철학에서는 교육의 [＿＿ ㉡ ＿＿] 목적 달성을 추구하면서, 내재적 가치인 합리성의 계발은 [＿＿ ㉢ ＿＿](으)로의 입문을 통해 달성된다고 보았다.

028 현대의 교육철학

2차 세계대전 이후 확대된 불평등과 인간 소외 문제를 비판하면서 이를 개선하려는 시도로서 다양한 비판이론이 등장하였다. 이런 흐름에 따라 교육에서도 비판적 교육철학이 등장하였는데, 이 사조에서 추구하는 교육의 목적은 [＿＿＿＿＿ ㉠ ＿＿＿＿＿]하는 것에 있다. 이를 위해 하버마스는 문제해결을 위한 가장 효율적 방법으로서 [＿＿ ㉡ ＿＿]을(를) 강조하였고, 합의에 의한 기초인 의사소통적 합리성을 추구하였다. 한편, 프레이리는 교육을 통해 인간의 비판의식을 길러주기 위해서 [＿＿ ㉢ ＿＿]을(를) 강조하였다.

029 현대의 교육철학

현대 사회의 문제가 복잡·다양해지면서 과거 절대적 진리, 합리성을 강조했던 모더니즘에 대한 비판적 인식이 확대되었다. 그러면서 포스트모더니즘이 등장하였는데, 포스트모더니즘 교육철학에서는 지식이 상황에 따라 변화한다는 [㉠]을(를) 가정한다. 이러한 지식관에 근거할 때 교육과정은 국가 중심의 공통 교육과정에서 벗어나 [㉡]될 것을 강조한다. 또한 교육방법에 있어서도 상황에 따른 지식의 주체적인 활용을 위해 학생 중심의 [㉢]을(를) 적용한다.

030 현대의 교육철학

신인문주의에서 강조한 주정주의적 교육을 이어받아 홀리스틱 교육이 등장하게 되었다. 따라서 홀리스틱 교육의 교육목적은 [㉠](이)라고 할 수 있다. 이러한 목적을 달성하기 위해 제시한 교육원리 3가지는 다음과 같다. 첫째, [㉡]의 원리이다. 이분법적인 사고에서 벗어나 대립하는 여러 요소들의 조화로운 학습을 강조한다. 둘째, [㉢]의 원리이다. 기존의 전달 중심의 교육뿐 아니라 교사–학생 간의 교류 학습까지 모두 중시한다. 셋째, [㉣]의 원리이다. 교과와 교과, 학습자와 교육과정, 지역사회와 학교 등 기존에 분리되어 있는 것의 관련성 회복을 강조한다.

Answer

025 ㉠ 사회적 자아의 실현 ㉡ 협동학습 ㉢ 문제해결학습
026 ㉠ 주체성을 가진 참다운 자아의 회복 ㉡ 만남
027 ㉠ 분석철학 ㉡ 내재적 ㉢ 지식의 형식
028 ㉠ 현대 사회의 구조적 모순을 극복하면서 인간을 해방 ㉡ 의사소통 ㉢ 문제제기식 교육
029 ㉠ 상대적 인식론 ㉡ 지역별·학교별로 다양하게 개발 및 운영 ㉢ 협동학습 / 자기주도적 학습
030 ㉠ 전인교육을 통한 인간성의 발달 ㉡ 균형 ㉢ 포괄 ㉣ 연관

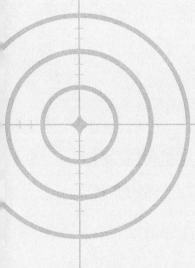

최원휘 SELF 교육학
핵심개념 456
모범답안 & 빈칸암기노트

II

교육과정

01 교육과정의 이해

● 본책 p.026
● 빈칸 빠른답안 p.180

031 교육과정의 성격

공적 목적 달성을 위한 교육과정의 특성은 다음과 같다. 첫째, [㉠](이)다. 교육과정은 공익적 목적 달성에 충실해야 한다. 둘째, [㉡](이)다. 교육과정은 그 자체로 중요하기보다는 목적 달성을 위한 수단으로서 역할을 수행한다. 셋째, [㉢](이)다. 교육과정을 실제로 운영하는 것은 교사이므로 교사는 공식적 교육과정을 현장에 맞게 융통적으로 운영할 수 있어야 한다. 넷째, [㉣](이)다. 교육과정은 결국 학습자의 자아실현을 도모하는 것이므로 학습자의 인지적 · 정의적 측면을 고루 고려해서 운영해야 한다.

032 교육과정의 성격 ★★★

교육과정을 개발하고 운영할 때 다음의 요소를 고려해야 한다. 첫째, [㉠](이)다. 시대에 따라 중요한 내용이 변화하므로 이를 고려해야 한다. 둘째, [㉡](이)다. 교육의 궁극적 목적은 학습자의 개별적 성장이므로 이를 고려해야 한다. 셋째, [㉢](이)다. 공교육은 사회의 안정과 발전을 목적으로 하므로 이를 반영해야 한다.

033 교육과정의 구분 ★

잠재적 교육과정이란 공식적 교육과정에서 [㉠]하지 않았으나 수업 또는 학교의 관행으로 학생들이 은연중에 배우는 가치, 태도, 행동 양식과 같이 교육 결과로서 경험된 교육과정을 의미한다. 잭슨이 제시한 잠재적 교육과정의 발생 원천은 다음과 같다. 첫째, [㉡](이)다. 학생들이 모인 교실에서 인내심과 같은 집단의 가치를 획득한다. 둘째, [㉢](이)다. 교실 내에서 동료 학생이 평가받는 모습을 보며 살아가는 방법을 획득한다. 셋째, [㉣](이)다. 교사와 학교의 권위에 적응하면서 학교에 적응하는 방법을 획득한다.

034 교육과정의 구분

지문에 나왔듯이 지배계층의 이익이 계획적이면서 은밀하게 숨겨져 있는 교육과정을 [㉠] (이)라 한다. 따라서 이 교육과정과 잠재적 교육과정의 차이는 [㉡]의 존재 여부라고 할 수 있다. 이 교육과정을 지적하는 학자들은 학교를 폐지하고 학교에 대한 대안으로 학습망을 제시한다. 학습망은 학습을 위한 네트워크로서 누구나 학습 내용에 접근할 수 있는 [㉢], 교수자의 인명록인 교육자망, 함께 공부할 수 있는 사람의 인명록인 [㉣], 가지고 있는 기술을 공유하는 기술교환망을 가진 오픈형 학교라고 할 수 있다.

035 교육과정의 구분 ★★

아이즈너가 언급한 영 교육과정이란 [㉠]을(를) 의미한다. 예를 들어 일본의 역사 교과서에서 한국에 대한 침략 내용을 의도적으로 배제하는 것을 들 수 있다. 한편, 영 교육과정으로 인해 발생하는 부정적 효과는 다음과 같다. 첫째, 학습자 측면에서 중요한 내용이 고의로 배제되므로 학습자의 [㉡]을(를) 침해할 수 있다. 둘째, 교과 측면에서 가치 있고 중요한 교과 지식이 반영되지 않을 수 있다. 셋째, 사회 측면에서 특정 집단, 특정 이데올로기의 이익만 반영한 편향된 교육이 나타나 [㉢]에 제약이 될 수 있다.

036 공식적 교육과정의 구분 ★★

국가 교육과정의 특징은 다음과 같다. 첫째, 개발의 측면에서 [㉠]이(가) 주도하여 개발한다. 둘째, 운영의 측면에서 국가가 개발한 교육과정을 전국의 단위학교는 [㉡] 운영한다. 이러한 특징으로부터 발생하는 단점은 다음과 같다. 첫째, 국가 주도로 개발하므로 [㉢]을(를) 반영하기가 곤란하다. 둘째, 전국적으로 동일하게 운영하는 과정에서 교사의 [㉣]이(가) 제약된다.

Answer

031 ㉠ 규범성 ㉡ 수단성 ㉢ 교사 주도성 ㉣ 학습자 존중성
032 ㉠ 교과(지식) ㉡ 학습자 ㉢ 사회
033 ㉠ 의도 / 계획 ㉡ 군집성 ㉢ 칭찬 ㉣ 권력
034 ㉠ 숨겨진 교육과정 ㉡ 의도 / 계획 ㉢ 자료망 ㉣ 동료망
035 ㉠ 가르칠만한 가치가 있고, 교육목표에도 부합하지만 공식적 교육과정에서 고의로 배제되어 학습할 기회를 가지지 못하는 교육내용
　　　 ㉡ 학습권 ㉢ 균형 있는 사회인재 육성
036 ㉠ 국가 ㉡ 통일적으로 ㉢ 지역의 수요 / 지역의 특수성 ㉣ 자율성 / 행위주체성

037 공식적 교육과정의 구분 ★★

지역 교육과정이란 국가 교육과정을 토대로 각 시·도 교육청이 시·도의 실정 및 여건을 고려하여 시·도별 교육반영을 반영한 문서라고 할 수 있다. 예를 들어 시·도의 [　　　⑦　　　]이(가) 이에 해당한다. 지역 교육과정의 특징은 첫째, 개발의 측면에서 [　　⑥　　]이(가) 주도하여 개발한다. 둘째, 운영의 측면에서 시·도는 운영의 큰 방향만 제시하고 단위학교에 운영상 [　　⑥　　]을(를) 부여한다. 이러한 특징으로부터 발생하는 장점은 다음과 같다. 첫째, 시·도가 주도하여 개발함으로써 지역의 교육적 수요에 적절히 대응할 수 있게 된다. 둘째, 단위학교에 운영상 자율권을 부여함으로써 학교별 [　　②　　] 교육과정을 운영할 수 있게 된다.

038 공식적 교육과정의 구분 ★★★

학교 교육과정이란 국가나 시·도의 교육과정 편성·운영 지침을 토대로 학교 실정에 적합한 교육과정을 비교적 구체적으로 계획한 것으로, 다음의 특징을 지닌다. 첫째, 학생 수준, 학부모의 수요 등 [　　⑦　　]을(를) 고려한다. 둘째, 교육과정 편성과 운영에서 교사에게 최대한의 [　　⑥　　]을(를) 부여한다. 이러한 특징으로 발생하는 장단점은 다음과 같다. 첫째, 학교의 특성을 고려하면서 단위학교별로 다른 교육수요에 융통성 있게 대응할 수 있는 장점이 있지만, 학교의 전문성 부족 등으로 개발에 많은 [　　⑥　　]이(가) 소요된다는 단점이 있다. 둘째, 교사에 재량권을 부여하면 교육과정 전문가로서 교사의 사기를 앙양할 수 있다는 장점이 있지만, 교사별 역량 차이가 그대로 교육과정 운영에 반영되어 학교별 [　　②　　]이(가) 심화될 수 있다.

039 공식적 교육과정의 구분 ★★

공식적 교육과정을 변화 단계에 따라 분류하면 다음과 같다. 첫째, 계획한 교육과정이다. 이는 국가, 지역, 학교 등 기관이 [㉠](으)로서 만든 교육과정을 의미한다. 둘째, 실행한 교육과정이다. 이는 [㉡]을(를) 의미한다. 셋째, 경험한 교육과정이다. 이는 교수학습의 과정을 통해 학생들에게 구현되고 학생들이 결과적으로 획득한 [㉢] 을(를) 의미한다.

040 공식적 교육과정의 구분

글래트혼은 공식적 교육과정이 실제로 전개되는 모습을 이해하기 위해 실제적 교육과정을 제시하였다. 실제적 교육과정의 세부 유형은 다음과 같다. 첫째, [㉠](이)다. 이는 교사들이 교실에서 실제로 교수한 교육 내용을 의미한다. 둘째, [㉡](이)다. 이는 학생들이 교실에서 실제로 학습한 경험으로서 교육 내용을 의미한다. 셋째, [㉢](이)다. 이는 교수 학습의 결과로 평가되는 교육 내용을 의미한다. 이러한 실제적 교육과정 논의가 주는 교육적 의의는 교사가 의도하여 [㉣]을(를) 인지할 수 있는 계기가 되어 이를 통해 교육활동을 개선할 수 있다는 점을 들 수 있다.

Answer

037 ㉠ 교육과정 편성·운영 지침 ㉡ 교사 ㉢ 자율권 ㉣ 특색 있는
038 ㉠ 학교의 특성 ㉡ 재량권 ㉢ 비용 ㉣ 교육 격차
039 ㉠ 문서 ㉡ 교사가 실제로 전개한 실천적인 수업행위 ㉢ 경험 / 성취 / 태도
040 ㉠ 가르친 교육과정 ㉡ 학습된 교육과정 ㉢ 평가된 교육과정 ㉣ 가르친 내용과 학습한 내용 간의 차이

02 교육과정의 역사

○ 본책 p.031
○ 빈칸 빠른답안 p.180

041 　교육과정 개발 패러다임

제시문을 통해 볼 때 타일러를 비롯한 교육과정 개발 패러다임의 장점은 다음과 같다. 첫째, 교육과정 논의를 합리적으로 종합하고 정리하여 ⟦　　　　　　⟨ㄱ⟩　　　　　　⟧할 수 있는 개발 모형을 제시했다. 둘째, 목표 설정 단계를 최우선으로 강조하면서 ⟦　　　　⟨ㄴ⟩　　　　⟧을(를) 분명히 하였다. 그러나 이에 대해 교육과정 이해 패러다임에서는 실제 교육 현장은 복잡하며, 하나의 법칙으로 설명되기 곤란하다는 점을 들어 개발 패러다임의 ⟦　⟨ㄷ⟩　⟧을(를) 한계로 지적한다.

042 　교육과정 이해 패러다임　　　　　　　　　　　　　　　　　　　★

교육과정 개발 패러다임의 탈맥락성을 비판하면서 등장한 교육과정 이해 패러다임은 크게 실존적·구조적·미학적 접근 방식으로 구분된다. 첫째, 파이나로 대표되는 실존적 접근 방식에서는 학습자의 개인적 교육 경험을 이해하면서 ⟦　　　⟨ㄱ⟩　　　⟧ 회복을 강조하였다. 둘째, 애플로 대표되는 구조적 접근 방식에서는 ⟦　　　　⟨ㄴ⟩　　　　⟧이(가) 반영된 기존 교육 과정을 비판적으로 바라보았다. 셋째, 아이즈너로 대표되는 미학적 접근 방식에서는 교육을 수단과 목적이라는 도구주의적 관점에서 벗어나 그 자체로 가치 있는 ⟦　⟨ㄷ⟩　⟧(이)라고 보았다.

043 교육과정 이해 패러다임 ★★

실존적 재개념주의자인 파이나는 학습의 개인적 성격에 주목하면서 학습자를 이해하는 방법으로 쿠레레 방법론을 제시하였다. 쿠레레 방법론의 목적은 [⟶ ㉠ ⟵] (이)다. 이때 쿠레레 방법론의 구체적 단계는 다음과 같다. 첫째, 회귀이다. 이는 자신의 과거 경험을 상세하게 묘사하는 단계이다. 둘째, 진보이다. 이는 [㉡]을(를) 통해 미래의 모습을 상상하는 단계이다. 셋째, 분석이다. 이는 과거－현재－미래의 [㉢]을(를) 탐구하는 단계이다. 넷째, 종합이다. 이는 교육 경험이 현재에 자신에게 주는 [㉣]을(를) 탐구하는 단계이다.

02

044 교육과정 이해 패러다임 ★

교육과정 개발 패러다임에 따르면 교육과정상의 목표는 [⟶ ㉠ ⟵] (으)로 진술할 것을 강조한다. 이에 대한 아이즈너의 비판은 다음과 같다. 첫째, 수업 중, 또는 수업 후에 [㉡] 교육목표가 발견될 수 있으므로 모든 목표를 사전에 설정하는 것은 곤란하다. 둘째, 수업은 매우 복잡하고 역동적인 것이므로 [㉢]의 내용은 구체적 행동 용어로 진술하기 곤란하다.

Answer

041 ㉠ 언제 어디서나 적용 가능(일반화) ㉡ 교육과정의 방향성 ㉢ 탈맥락성
042 ㉠ 학습자의 실존성 ㉡ 지배계층의 이익 / 불평등한 사회구조 ㉢ 예술
043 ㉠ 학습자 스스로가 자신의 교육경험을 자아성찰하면서 자신의 실존성을 회복하는 것 ㉡ 자유연상 ㉢ 관계성 ㉣ 의미
044 ㉠ 사전에 구체적인 행동 용어 ㉡ 부수적·잠재적 ㉢ 도덕성 등 정의적 측면

◉ 본책 p.033
◉ 빈칸 빠른답안 p.181

---

045 | 교과를 중심으로 한 교육과정

고전 교과를 통해 정신의 근력을 단련해야 한다는 이론을 [㉠](이)라고 한다. 이 이론에 따른
교과중심 교육과정의 목적은 문화 전통의 전수를 통한 [㉡]에 있다. 이를 위한
교육 내용으로는 문화유산 중 가장 중요한 내용이 반영된 [㉢]을(를) 들 수 있다.

---

046 | 교과를 중심으로 한 교육과정   ★

고전을 통한 이성과 합리성의 계발을 강조한 교과중심 교육과정의 조직 유형은 크게 4가지로 구분된다.
첫째, 분과형이다. 이는 개별 교과를 완전히 독립시켜 교과목을 [㉠]하여 조직하는 것을
의미한다. 둘째, 상관형이다. 이는 개별 교과의 선은 유지하되 과목 간 [㉡]을(를) 서로 연결
시켜 조직하는 것을 의미한다. 셋째, 융합형이다. 이는 개별 교과의 성질을 유지하되 교과목에서
[㉢]을(를) 추출하여 교과를 재조직하는 것을 의미한다. 넷째, 광역형이다. 이는 전통적
교과의 경계를 넘어 사실과 원리, 주제 중심으로 [㉣]하여 조직하는 것을 의미한다.

---

047 | 교과를 중심으로 한 교육과정   ★★

고전을 통한 이성과 합리성의 계발을 강조한 교과중심 교육과정의 교수 방법상의 특징은 다음과 같다.
첫째, 교사가 주도하여 지식을 전달하는 [㉠]을(를) 한다. 둘째, 전통 문화유산이 담긴
[㉡]을(를) 중심으로 수업한다. 이러한 특징을 고려했을 때 장단점은 다음과 같다. 첫째,
다수 학생에 대한 통일적인 교육이 가능하다는 장점이 있지만, 교사중심의 수업으로 인해 개별 학생들의
[㉢]을(를) 고려하는 데 한계를 지닌다. 둘째, 교과서 중심의 수업을 통해 검증된 기본 내용을
정확하게 전달할 수 있다는 장점이 있지만 [㉣]을(를) 학습하는 데 단점을 지닌다.

048 교과를 중심으로 한 교육과정 ★★

학문중심 교육과정이 추구하는 목표는 개별 교과의 지식의 구조를 학습하면서 [　　⑤　　]
하는 데 있다. 이때 지식의 구조란 [　　　　　　ⓛ　　　　　　](이)라고 할 수 있다.
이러한 지식의 구조를 학습했을 때 장점은 다음과 같다. 첫째, [　　ⓒ　　](이)다. 학습자는 핵심
개념, 원리를 소유하면 충분하므로 머릿속에 저장해야 할 정보의 양이 이전보다 적게 된다. 둘째,
[　　②　　](이)다. 지식의 구조를 알면 이를 바탕으로 다른 지식을 습득하고 발견하기가 용이해진다.

02

049 교과를 중심으로 한 교육과정 ★

학문중심 교육과정에서는 지식의 구조를 학습하기 위해서 교육과정을 나선형의 형태로 조직한다. 이때
나선형 교육과정의 내용 조직 원리는 다음과 같다. 첫째, [　　⑤　　]의 원리이다. 핵심적인 개념과
원리를 지속적으로 반복하면서 학습자가 자연스럽게 체득하도록 한다. 둘째, [　　ⓛ　　]의 원리이다.
핵심 내용을 단순 반복하는 것이 아니라 학습자의 발달 수준을 고려하면서 [　　ⓒ　　](으)로 심화
시킨다. 이때 지식을 적절하게 표현하는 것이 중요한데, 지식의 경우 구체적인 행동에서 반추상적 영상,
마지막으로 [　　　②　　　](으)로 점차 심화하여 표현한다.

050 교과를 중심으로 한 교육과정 ★

학문중심 교육과정의 특징은 첫째, [　　⑤　　]을(를) 학습자가 스스로 발견하는 것을 강조한다. 둘째,
학습 내용을 계속성과 계열성에 따라 반복하고 심화한다. 이러한 특징을 고려했을 때 장단점은 다음과
같다. 첫째, 교과와 학문은 공통의 지식의 구조를 갖고 있다고 가정하면서 교과와 학문의
[　　ⓛ　　]을(를) 확보할 수 있다는 장점이 있지만, 지식의 구조를 스스로 발견하는 것 자체가 어려워
일반 학생들이 폭넓게 수행하기에 한계를 지닌다. 둘째, 반복과 심화 학습을 통해 학습자의 이해도,
기억 능력을 촉진할 수 있다는 장점이 있지만, 지나친 반복과 심화는 학습에 대한 [　　ⓒ　　]을(를)
감소시킨다는 단점이 있다.

051 교과를 중심으로 한 교육과정 ★

메이거는 구체적인 수업 목표를 3가지 요소로 설명한다. 첫째, 도착점 행동이다. 이는 학습 결과를 확인할 수 있는 관찰 가능한 행동으로, 제시문의 경우 "〔   ㉠   〕"(이)가 이에 해당한다. 둘째, 상황 및 조건은 어떠한 상황에서 도착점 행동이 나타나는지 여부와 관련된 것으로, 제시문의 경우 "〔   ㉡   〕"(이)가 이에 해당한다. 셋째, 〔   ㉢   〕은(는) 도착점 행동의 달성 여부를 판단하는 기준에 해당하는 것으로, 제시문의 경우 "60분 이내에"가 이에 해당한다.

052 학습자를 중심으로 한 교육과정 ★★★

경험중심 교육과정의 교육목표는 〔   ㉠   〕에 있다. 이를 달성하기 위한 교육방법은 다음과 같다. 첫째, 〔   ㉡   〕(이)다. 아동의 흥미를 끌 만한 주제를 선정하고 논리적인 지식을 활용하여 자신의 입장을 말할 수 있도록 한다. 둘째, 〔   ㉢   〕(이)다. 실생활과 관련한 문제를 제시하고, 협동의 과정을 통해 실제적 해결 방안을 마련하도록 한다.

053 학습자를 중심으로 한 교육과정 ★★★

아동의 흥미와 관심을 중시한 경험중심 교육과정의 조직 유형은 다음과 같다. 첫째, 〔   ㉠   〕(이)다. 이는 학습자의 전인적 성장을 도모하기 위해 학습자의 흥미나 요구에 따라 교육과정을 조직하는 것을 의미한다. 둘째, 〔   ㉡   〕(이)다. 이는 교사와 학생이 협력하여 함께 교육과정을 조직하는 것을 의미한다. 셋째, 중핵형이다. 이는 여러 교과나 주제를 중심으로 내용을 〔   ㉢   〕하여 조직하는 것을 의미한다.

054 학습자를 중심으로 한 교육과정 ★★

경험중심 교육과정의 특징은 첫째, 학습자 중심의 경험과 행동을 촉진하는 수업을 실시한다. 둘째, 〔   ㉠   〕와(과) 관련한 내용을 중심으로 수업한다. 이러한 특징을 고려했을 때 장단점은 다음과 같다. 첫째, 학습자 중심의 수업을 통해 학습자의 〔   ㉡   〕을(를) 높일 수 있다는 장점이 있지만, 지나치게 경험과 행동만 강조하는 경우 기초적 내용 학습이 부족해 〔   ㉢   〕이(가) 나타날 수 있다는 단점이 있다. 둘째, 실생활 관련 학습을 통해 현재 강조되는 문제해결능력을 함양할 수 있다는 장점이 있지만, 실생활 주제를 선정하고 내용을 재조직하는 과정에서 〔   ㉣   〕이(가) 소요되어 비효율적이라는 단점을 지닌다.

055 학습자를 중심으로 한 교육과정 ★

기존 교육과정의 지나친 합리성 추구에 반발하며 등장한 인간중심 교육과정은 [㉠] 을(를) 목적으로 한다. 이를 달성하기 위한 교사의 태도로는 모든 학생의 잠재 가능성을 긍정하고 수용 하는 [㉡]을(를) 들 수 있다. 따라서 주된 교육 원리로는 학습자의 인지적·정의적 측면의 고른 발달을 추구하는 [㉢]을(를) 들 수 있다.

056 학습자를 중심으로 한 교육과정

학습자의 능동성을 강조하는 구성주의 교육과정은 크게 2가지로 구분된다. 첫째, A 유형은 지식을 구성 하는 개인에 초점을 둔 접근으로 이를 [㉠](이)라 한다. 둘째, B 유형은 사회에 초점을 둔 접근으로 이를 [㉡](이)라 한다. A 유형에서는 지식이 개인이 가진 [㉢]에 따라 다르게 형성된다고 본다. 반면, 사회적 구성주의에서는 지식이 [㉣]에 따라 다르게 형성된다고 본다.

057 학습자를 중심으로 한 교육과정 ★

구성주의 교육과정의 특징은 첫째, 지식의 [㉠]을(를) 부정한다. 둘째, 강의식을 탈피하여 학생 활동중심의 다양한 수업방식을 운영한다. 이러한 특징을 고려했을 때 장단점은 다음과 같다. 첫째, 지식의 절대성을 부정하여 [㉡]할 수 있다는 장점이 있지만, 과거로부터 이어오는 절대적 지식 전달에는 한계를 지닌다. 둘째, 활동 중심의 다양한 수업방식을 운영하여 학생들의 [㉢]을(를) 유발할 수 있다는 장점이 있지만, [㉣](이)라는 한계를 지닌다.

Answer

051 ㉠ 논술할 수 있다. ㉡ 책을 보지 않고 ㉢ 수락 기준
052 ㉠ 아동의 흥미를 고려한 교육을 통해 논리적 지식에 접근시켜 아동을 계속적으로 성장 ㉡ 토의토론 학습 ㉢ 프로젝트 학습
053 ㉠ 활동형 ㉡ 생성형 ㉢ 통합
054 ㉠ 실생활 ㉡ 흥미 / 학습 참여 ㉢ 기초학력 저하 ㉣ 시간
055 ㉠ 학습자의 자아실현 ㉡ 따스한 태도 / 긍정적 태도 ㉢ 전인성의 원리
056 ㉠ 인지적 구성주의 ㉡ 사회적 구성주의 ㉢ 인지적 역량 ㉣ 사회적 상호작용
057 ㉠ 절대성 ㉡ 지식 변화에 능동적으로 대응 ㉢ 학습동기 / 학습참여 ㉣ 입시를 고려한 현실에서 비현실적

058 사회를 중심으로 한 교육과정

기존 교육과정에서 강조한 학습 목표가 실제 생활 활동과의 관련성이 부족하다는 비판하에 생활적응 교육과정이 등장하였다. 생활적응 교육과정에서는 항상적 생활 사태를 교육과정에 반영할 것을 강조하는데, 항상적 생활 사태란 [＿＿＿＿＿ ㉠ ＿＿＿＿＿]을(를) 의미하는 것으로 개인 능력의 성장, 사회적 참여의 성장, 환경적 요인을 다루는 능력을 포괄한다. 이를 중시하는 학습의 장점은 다음과 같다. 첫째, 교육 내용이 실제 상황과 직접적 관련성이 있어 교육을 통해 사회질서에 적응하는 [＿＿ ㉡ ＿＿]을(를) 육성할 수 있다. 둘째, 암기 중심의 수업을 탈피하여 실생활 적응 능력과 관련한 교육이 주를 이루므로 [＿＿ ㉢ ＿＿](으)로부터 학생을 자유롭게 한다.

059 사회를 중심으로 한 교육과정 ★★

중핵 교육과정의 특징은 첫째, 사회문제를 중심으로 교과 내용을 [＿＿ ㉠ ＿＿]한다. 둘째, 중핵 학습을 위해 학습자의 참여 중심 수업을 강조한다. 이러한 특징을 고려했을 때 장단점은 다음과 같다. 첫째, 사회문제를 중심으로 내용을 통합함으로써 지식의 [＿＿ ㉡ ＿＿]을(를) 학습할 수 있다는 장점이 있지만, 교과중심 교육과정에 비해 교과의 내용 조직이 [＿＿ ㉢ ＿＿](이)라는 한계를 지닌다. 둘째, 학습자 참여 중심 수업을 통해 학습자의 능동적 수업 참여를 이끌 수 있다는 장점이 있지만, 지나치게 참여를 강조하는 경우 [＿＿ ㉣ ＿＿]을(를) 습득하는 데 한계를 지닌다.

060 역량을 중심으로 한 교육과정 ★★★

2022 개정 교육과정의 인재상과 관련한 핵심 역량은 다음과 같다. 첫째, 포용성은 타인에 대한 배려, 소통, 공감, 공동체 의식을 포괄하는 것으로 협력적 소통 역량, [＿＿ ㉠ ＿＿]이(가) 핵심 역량이라 할 수 있다. 둘째, 창의성은 문제를 해결하고 사고를 융합하는 것으로서 [＿＿ ㉡ ＿＿], 창의적 사고 역량이 핵심 역량이 된다. 셋째, 자기주도성은 행동에 적극적이고 자신의 일에 책임감을 갖는 것으로 [＿＿ ㉢ ＿＿]이(가) 핵심 역량이 된다.

Answer

058 ㉠ 학습자가 항상 직면하고 있는 생활 장면 ㉡ 생활인 ㉢ 학업 스트레스

059 ㉠ 통합 / 연계 ㉡ 상호관련성 ㉢ 비체계적 ㉣ 기본 내용 / 기본 지식

060 ㉠ 공동체 역량 ㉡ 지식정보처리 역량 ㉢ 자기관리 역량

◉ **본책** p.041
◉ **빈칸 빠른답안** p.182

---

061 ┃ 기본적 이해

교육과정 개발 유형은 크게 중앙집중형과 분권형으로 구분된다. 국가에 의해 통일된 교육과정을 개발하는 중앙집중형은 국가가 개발하여 교육에 대한 국가의 책무성을 강화해 전반적인 [㉠]을 (를) 확보할 수 있다는 장점이 있지만, [㉡]을(를) 반영하기에 곤란하다는 단점이 있다. 반면 교사의 참여를 통해 지역·학교 중심으로 교육과정을 개발하는 분권형은 교사의 전문성을 충분히 활용하여 지역과 단위 학교에 맞는 교육과정을 개발할 수 있다는 장점이 있지만, [㉢]에 따라 교육과정의 질적 차이가 발생할 수 있다는 단점이 있다.

---

062 ┃ 합리적 교육과정 개발

타일러의 합리적 교육과정 개발 모형에서 제시하는 4단계는 다음과 같다. 첫째, [㉠](이)다. 이 단계에서는 자원을 가지고 임시적 목표를 설정하고 정선하여 구체적 행동 용어로 학습 목표를 진술한다. 둘째, [㉡](이)다. 이 단계에서는 기회의 원칙 등 학습경험 선정의 원칙에 따라 교육목표를 달성할 수 있는 학습경험을 선정한다. 셋째, 학급경험 조직이다. 이 단계에서는 학습 효과성을 제고하기 위해 [㉢]의 원칙에 따라 학습 순서를 설정한다. 넷째, 학습성과 평가이다. 이 단계에서는 교육과정 및 수업에 의한 교육목표의 실현 정도를 평가한다.

Answer

061 ㉠ 교육의 질 ㉡ 지역·학교별 특수성 ㉢ 교사의 역량

062 ㉠ 교육목표 설정 ㉡ 학습경험 선정 ㉢ 계속성, 계열성, 통합성

063 합리적 교육과정 개발 ★

타일러의 합리적 교육과정 개발모형에서는 구체적 목표의 설정을 강조한다. 이를 위해 우선 임시적 교육목표를 설정하는데, 이때 활용하는 자원은 다음과 같다. 첫째, [㉠   ](이)다. 이를 통해 교육목표에 들어갈 교과 지식의 중요한 내용을 추린다. 둘째, [㉡   ]에 대한 선행 연구이다. 이를 통해 학습자의 수준에 맞는 교육목표를 설정한다. 셋째, 사회에 대한 연구이다. 이를 통해 사회의 요구를 교육목표에 반영한다. 다음으로 임시적 교육목표를 구체적 목표로 정선하는데, 이때 활용하는 기준은 다음과 같다. 첫째, [㉢   ](이)다. 임시적 교육목표가 가르칠 가치가 있는지 확인한다. 둘째, [㉣   ](이)다. 임시적 교육목표를 가르칠 수 있는지, 학습자가 학습할 수 있는지 확인한다.

064 합리적 교육과정 개발 ★★

타일러는 학습경험 선정을 위해 일반적 원칙을 제시한다. 이 중 A교사가 언급한 내용에 해당하는 원칙은 다음과 같다. 첫째, A교사는 이제 막 중학교 1학년이 된 학생들의 수준을 고려하여 토론 주제를 선정하는데, 이처럼 학생들의 발달 수준, 능력을 고려하여 경험이 가능하게 해야 한다는 원칙을 [㉠   ](이)라 한다. 둘째, A교사는 토론을 통해 원래 학습 목표뿐만 아니라 타인의 주장을 경청하는 능력, 상호작용하는 능력 등도 성취할 것으로 기대하는데, 이처럼 하나의 경험이 여러 가지 목표 달성에 관련되어야 한다는 원칙을 [㉡   ](이)라 한다.

065 합리적 교육과정 개발 ★★

타일러가 제시한 학습경험 조직의 원칙은 다음과 같다. 첫째, 계속성의 원칙은 핵심적인 교육과정의 요소가 [㉠   ]되도록 조직해야 한다는 것을 의미한다. 둘째, 계열성의 원칙은 단순 반복이 아니라 반복될 때마다 핵심적 요소의 경험 수준과 범위가 점점 [㉡   ] 조직해야 한다는 것을 의미한다. 셋째, 통합성의 원칙은 해당 교육과정의 핵심적인 요소가 [㉢   ]으로써 학생이 통합적인 관점을 형성하도록 조직해야 한다는 것을 의미한다.

066 　합리적 교육과정 개발　　　　　　　　　　　　　　　　　　　　　　★★

사전에 구체적 행동목표의 설정을 강조하는 타일러의 합리적 교육과정 개발 모형의 장점은 다음과 같다.
첫째, 사전에 학습목표를 설정함으로써 [　　　　　　　㉠　　　　　　　]을(를) 분명하게 제시한다.
둘째, 구체적 행동 용어로 목표를 진술하게 하여 추후 목표 달성도 여부 평가를 용이하게 해준다.
반면, 이 모형의 단점은 다음과 같다. 첫째, 목표의 사전 설정만 강조하여 수업 중 생기는
[　　　　　㉡　　　　　] 목표의 중요성을 간과한다. 둘째, 창의성 등과 같은 [　　㉢　　]
영역의 목표는 구체적인 행동 용어로 진술하기 어려워 명확한 평가를 곤란하게 한다.

02

067 　단원개발 모형

타바는 단원중심의 교육과정 개발 모형을 강조하였는데, 이 모형에 따르면 교육과정을 개발하는 주체는
단원을 실제로 수업하는 [　　㉠　　](이)라고 본다. 이러한 특징으로 인한 장점은 다음과 같다. 첫째,
교육과정 전문가로서 교사의 역량을 중시함으로써 교사의 [　　㉡　　]이(가) 높아진다. 둘째, 교사별로
놓이게 되는 상황과 교사별 역량의 차이를 존중함으로써 [　　　　　　　㉢　　　　　　　]
을(를) 가능하게 한다.

068 　단원개발 모형　　　　　　　　　　　　　　　　　　　　　　　　　　★

타바의 단원개발 모형에 따르면 교사가 단원목표를 설정하기 이전에 바람직한 상태와 현재의 상태를
비교하는 것이 필요하다고 보는데, 이를 [　　㉠　　](이)라고 한다. 한편, 시험적 교수학습 단원을
구성한 이후에는 단원을 검증해야 하는데, 이때 검증의 기준은 다음과 같다. 첫째, [　　㉡　　](이)다.
시험 단원의 내용은 최신의 정보인지, 정확한 지식인지 확인한다. 둘째, [　　㉢　　](이)다. 시험
단원의 내용이 처음에 설정한 교육목표 달성에 적합한지 검토한다. 셋째, [　　㉣　　](이)다. 시험
단원 내용의 수준이 학습자의 수준에 맞는지 확인한다.

Answer
───
063 ㉠ 교과 전문가의 견해 ㉡ 학습자 ㉢ 교육철학 ㉣ 학습심리학
064 ㉠ 가능성의 원칙 ㉡ 일 경험 다 목표의 원칙
065 ㉠ 반복 ㉡ 더 깊어지고 넓어지도록 ㉢ 여러 교과에서 다루어짐
066 ㉠ 수업의 방향 ㉡ 부수적 / 확산적 ㉢ 정의적
067 ㉠ 교사 ㉡ 직무동기 / 사기 ㉢ 학교상황에 맞는 교육과정을 개발하고 운영하는 것
068 ㉠ 요구 진단 ㉡ 내용의 정확성 ㉢ 목표와의 부합성 ㉣ 학습자의 학습 가능성

069 역행설계 모형

위긴스와 맥타이의 역행설계 모형에 따르면 교육과정 개발 절차는 다음과 같다. 첫째, 목표설정이다. 이때 목표에는 학습 내용의 큰 원리 혹은 중요한 이해라고 할 수 있는 [㉠   ]이 (가) 반영되어야 한다. 둘째, 평가계획 수립이다. 이때 수행 과제에 대한 평가도구 및 준거로서 [㉡]을(를) 설계한다. 셋째, 수업 계획 수립이다. 구체적인 수업을 구상하는 과정에서 [㉢] 원리가 적용되는지 확인한다.

070 역행설계 모형   ★★

위긴스와 맥타이의 역행설계 모형에서 바람직한 교육결과로서 영속적 이해를 제시한다. 이때 영속적 이해란 [㉠   ]을(를) 의미한다. 이러한 영속적 이해의 특성은 첫째, 사실과 학문을 초월한 [㉡], 둘째, 학문 중심부에 있는 통찰력, 셋째, 학습자를 몰입시킬 수 있는 [㉢]을(를) 들 수 있다.

071 역행설계 모형   ★

위긴스와 맥타이의 역행설계 모형에서는 수업계획의 틀로서 WHERETO를 제안한다. WHERETO 원리 중 수업의 도입 단계에서 주로 확인하는 원리는 다음과 같다. 첫째, 학생들에게 단원이 [㉠] 이해시킨다. 둘째, 학생들의 [㉡]을(를) 유발하고 유지시킨다.

072 자연주의적 개발 모형

워커는 실제 교육과정의 개발 모습은 타일러의 가정보다 훨씬 복잡하므로 합리적 개발 모형을 [㉠   ]하다고 비판한다. 그러면서 워커는 이에 대한 대안으로 자연주의적 개발 모형을 제시한다. 이 중 (가)에 해당하는 것은 [㉡](으)로서, 더 나은 교육과정을 위한 체계적이고 집단적 사고와 논의 과정이라 할 수 있다. 이러한 숙의는 교육과정 개발 과정에 관여하는 여러 집단 사이의 이해관계를 고려하면서 교육의 가치 중 하나인 교육의 [㉢]을(를) 확보하는 데 도움이 된다는 의의를 지닌다.

073 예술적 교육과정 개발 모형 ★★★

아이즈너가 예술적 교육과정 개발 모형을 통해 제시한 학습목표는 다음과 같다. 첫째, [　　　㉠　　　] (이)다. 이는 일정한 조건 내에 다양한 해결책이 있는 목표로서 [　　　㉡　　　] 와(과) 같은 예시를 들 수 있다. 둘째, 표출적 성과이다. 이는 조건이 [　　　㉢　　　], 문제와 답도 사전에 주어지지 않는 목표로서 [　　　㉣　　　] 와(과) 같은 예시를 들 수 있다.

074 예술적 교육과정 개발 모형 ★★★

아이즈너는 예술적 교육과정 개발 모형을 통해 학습자 특성에 맞게 교육목표와 내용을 변형할 수 있어야 함을 강조한다. 이와 관련하여 교사가 갖추어야 하는 역량을 [　　　㉠　　　] (이)라고 한다. 이것을 발현시킨 예시로는 다음과 같다. 첫째, [　　㉡　　] 을(를) 변형한다. 정해진 단원학습 목표를 학습자 수준에 맞게 재구성한다. 둘째, 학습내용을 변형한다. 기존 교과 내용의 [　㉢　] 을(를) 변경하거나 교과서 외 [　㉣　] 을(를) 제공한다.

075 예술적 교육과정 개발 모형 ★

아이즈너의 예술적 교육과정 개발 모형에 따르면 학습내용을 다양하게 제시할 것을 강조한다. 이때 구체적인 학습내용 제시 방식은 다음과 같다. 첫째, 의사소통 방식을 변화시킨다. 교사의 말에 의존하는 의사소통을 벗어나 [　　　㉠　　　] 을(를) 통해 학습내용을 제시한다. 둘째, 설명 방식을 변화시킨다. 교사의 설명이 필요한 경우에도 정보 전달에만 치중하는 것이 아니라 [　　㉡　　] 을 (를) 통해 학습자의 상상력을 자극한다.

Answer

069 ㉠ 영속적 이해 ㉡ 루브릭 ㉢ WHERETO
070 ㉠ 학습자들이 비록 아주 상세한 것들은 잊어버린 후에도 머리에 남아 있는 큰 원리 혹은 중요한 이해 ㉡ 보편성 ㉢ 매력
071 ㉠ 어디로 향하는지, 왜 학습해야 하는지 ㉡ 흥미와 동기
072 ㉠ 일반적으로 적용하기 곤란 ㉡ 숙의 ㉢ 민주성
073 ㉠ 문제해결목표 ㉡ 1만 원으로 가장 알맞은 식사 재료 구입하기 ㉢ 주어지지 않고 ㉣ 친구들과 벽화 그리기
074 ㉠ 교육적 상상력 ㉡ 학습목표 ㉢ 순서 ㉣ 보충자료
075 ㉠ 동영상 / 그래픽 ㉡ 시적인 진술, 은유

076 예술적 교육과정 개발 모형 ★★★

교육은 예술과 같다는 아이즈너의 예술적 교육과정 개발 모형에 따르면 학습자의 학습성과 평가 시 교사에게 요구되는 능력은 다음과 같다. 첫째, [　　　　　㉠　　　　　](이)다. 이는 예술작품과 같이 학습자가 보여주는 학습성과의 미묘한 차이를 인식할 수 있는 감상술에 해당한다. 둘째, 교육비평이다. 이는 전문가가 감식한 미묘한 차이를 학생·학부모가 이해할 수 있도록 [　　　　㉡　　　　]에 해당한다. 이러한 능력을 바탕으로 학교 현장에서 실시하는 평가 방식을 참평가라고 한다. 이는 [　　　　㉢　　　　]을(를) 측정하는 평가라고 할 수 있다.

077 교육과정 재구성 ★

교육과정 분권화가 필요한 이유는 다음과 같다. 첫째, 교과 측면에서 학습 내용의 급격한 변화에 대한 [　　　　㉠　　　　]의 측면에서 분권화가 유리하다. 둘째, 학습자 측면에서 학교별로 상이한 [　　　　㉡　　　　]을(를) 실현하기 위해서 분권화가 적절하다. 셋째, 사회 측면에서 학부모, 지역 사회의 요구와 기대에 부응하면서 [　　　　㉢　　　　] 인재를 적기에 육성하기에 분권화가 유리하다.

078 교육과정 재구성 ★★★

단위학교에서 교육과정을 재구성하는 경우 구체적인 방법은 다음과 같다. 첫째, 교과 내 재구성이다. [　　　　㉠　　　　]을(를) 의미한다. 둘째, 교과 간 재구성이다. 중요한 학습 주제에 따라 [　　　　㉡　　　　]을(를) 의미한다. 셋째, [　　　　㉢　　　　] 한다. 학교 자율시간 등을 활용하여 새로운 교과를 만들거나 체험중심의 활동을 실시하는 것을 의미한다.

079 교육과정 재구성 ★★★

교육과정 문해력이란 [　　　　㉠　　　　](으)로서 최근 교육과정 재구성과 관련하여 교사에게 필요한 역량으로 부각되고 있다. 교사의 교육과정 문해력을 함양할 수 있는 구체적인 방안은 다음과 같다. 첫째, 교육과정 재구성과 관련한 [　　　　㉡　　　　]을(를) 조직·운영 하여 관련 연구를 수행한다. 둘째, [　　　㉢　　　]을(를) 통해 실제 교육과정 재구성을 실시한다.

080 학교중심 교육과정 개발모형 ★★★

스킬벡의 학교중심 교육과정 개발모형에서 학교상황에 맞는 교육과정 개발·운영을 강조한다. 따라서 이 모형의 첫 번째 단계는 [㉠   ](이)다. 이 단계에서 분석의 내용과 방법은 다음과 같다. 첫째, 학교의 내적요인을 분석한다. 이는 [㉡   ]와(과) 관련되는 것으로 [㉢   ] 등을 통해 분석할 수 있다. 둘째, 학교의 외적요인을 분석한다. 이는 학부모, 지역사회의 기대와 관련한 것을 학부모 상담, [㉣   ]을(를) 통해 분석할 수 있다.

02

081 교육과정 설계모형

교육과정 설계모형은 크게 내용모형, 목표모형, 과정모형으로 구분된다. 각각의 모형에서 강조하는 교육내용은 다음과 같다. 첫째, 내용모형은 교육과정 설계 시 가르칠 내용에 초점을 두는 모형으로서 이때의 내용은 [㉠   ]에 해당한다. 둘째, 목표모형은 교육과정 설계 시 [㉡   ]을(를) 강조하는 모형으로서 이때의 내용은 구체적 교육목표 달성을 위한 구체적 학습내용이 해당된다. 셋째, 과정모형은 교육과정 설계 시 [㉢   ]을(를) 최우선적으로 고려하는 모형으로서 이때의 내용은 사전에 준비되기보다는 교수학습과정 중에서 발생하는 교육적 경험이 학습내용이라고 본다.

Answer

076 ㉠ 교육적 감식안 ㉡ 공식적 언어로 표현하는 표출술 ㉢ 실제 상황에서의 문제해결력
077 ㉠ 신속한 대응 ㉡ 학습자 특성에 맞는 교육 ㉢ 사회에서 필요로 하는
078 ㉠ 교과서 내용의 순서를 변경하거나 내용을 추가·삭제하는 것 ㉡ 기존의 교과를 통합하여 새롭게 재조직하는 것 ㉢ 교과와 창의적 체험활동을 연계
079 ㉠ 교육과정을 읽고 쓰는 능력 ㉡ 전문적 학습 공동체 ㉢ 교과 협의회
080 ㉠ 상황분석 ㉡ 학습자의 적성과 능력 / 교사의 능력과 가치관 ㉢ 학생상담 / 교사상담 ㉣ 지역사회 연계활동 / 마을 교육 공동체 활동 / 학교운영위원회 운영
081 ㉠ 내재적 가치가 있는 문화유산 ㉡ 구체적 목표 설정 ㉢ 학습자의 역량 발달

082　교육과정의 일반적 설계원리　★

교육목표 분류학에 따라 교육목표 설정 시 교육목표를 분류하는 기준은 다음과 같다. 첫째, 인지적 영역의 경우 [　　ㄱ　　]에 따라 분류한다. 즉, 복잡한 수준에 따라 지식, 이해, 적용, 분석, [　　ㄴ　　], 평가로 위계화된다. 둘째, 정의적 영역의 경우, [　　ㄷ　　]에 따라 분류한다. 학습목표가 학습자에게 얼마나 내재화되는지에 따라 수용, 반응, 가치화, 조직화, 인격화 등으로 위계화된다.

083　교육과정의 일반적 설계원리　★

교육내용과 학습경험을 선정할 때 일반적으로 준수해야 하는 기본원리는 다음과 같다. 첫째, [　　ㄱ　　]의 원리이다. 교육내용과 학습경험은 사전에 설정한 학습목표 달성에 부합해야 한다. 둘째, [　　ㄴ　　]의 원리이다. 학습을 통해 얻게 되는 교육내용은 최신의 정보여야 하고 오류가 있어서는 안 된다. 셋째, [　　ㄷ　　]의 원리이다. 학습자들이 적극성을 갖고 학습할 수 있도록 교육내용과 학습경험은 학습자의 흥미, 적성 등을 고려해야 한다.

084　교육과정의 일반적 설계원리　★★

A교사는 현실적인 이유로 인해서 필요한 내용을 중심으로 학습내용을 선택하는데, 이처럼 교육내용과 학습경험의 폭과 깊이를 고려하는 요소를 [　　ㄱ　　](이)라고 한다. 이러한 요소에 영향을 미친 요인은 다음과 같다. 첫째, 교과 측면에서 [　　ㄴ　　]에 따라 범위가 결정된다. 둘째, 학습자의 측면에서 [　　ㄷ　　]에 따라 학습내용의 범위가 결정된다. 셋째, 사회의 측면에서 [　　ㄹ　　] 등이 교육내용 선정 및 조직에 영향을 미친다.

085　교육과정의 일반적 설계원리　★★★

교육내용의 학년 간 배열을 의미하는 수직적 조직 원리 중 계열성이란 학생들이 교육내용 및 학습경험을 접하는 [　　ㄱ　　]와(과) 관련된 것이다. 이러한 계열성을 확보하기 위해 학습내용을 조직하는 구체적인 방법은 다음과 같다. 첫째, [　　ㄴ　　](으)로 학습내용을 조직한다. 둘째, 전체에서 부분으로 학습내용을 조직한다. 셋째, 역사적 교육내용의 경우 [　　ㄷ　　](으)로 학습내용을 선정한다.

086 교육과정의 일반적 설계원리 ★★★

교육내용의 조직원리 중 총체적 조직원리로서 연계란 학년 간, 교과 간 [㉠]을
(를) 의미한다. 이때 구체적인 연계의 방법은 다음과 같다. 첫째, [㉡](이)다.
이는 학년 간 교육 내용의 연계로서 중1 수학과 초6 수학을 연계시키는 것을 예로 들 수 있다. 둘째,
[㉢](이)다. 이는 교과 간 연계에 해당하는 것으로 중1 환경을 주제로 과학과와
기술·가정과의 내용을 연계하는 것을 예로 들 수 있다.

087 통합 교육과정 ★★★

드레이크가 제시한 통합 교육과정의 운영 원리는 다음과 같다. 첫째, [㉠]의 원리이다.
통합 교육과정은 학습자의 흥미와 관심뿐 아니라 지적 능력 개발을 목표로 하므로 각 교과의 중요한
내용을 반영해야 한다. 둘째, 일관성의 원리이다. 통합 단원의 내용과 활동은 단원의 [㉡]
달성에 적합해야 한다. 셋째, 적합성의 원리이다. 학습자가 충분히 학습할 수 있으려면 통합 단원은
[㉢]에 맞아야 한다.

088 통합 교육과정 ★★★

통합 교육과정의 유형별 특징은 다음과 같다. 첫째, 다학문적 통합이다. 이는 공통 주제를 추출하고 각
교과별로 해당 주제를 수업하는 것을 의미하는 것으로 개별 교과의 [㉠]이(가) 유지된다는
특징을 지닌다. 둘째, 간학문적 통합이다. 이는 공통 주제를 선정하고 교과별로 [㉡]
하여 재조직하는 것으로 교과 간 경계가 붕괴된다는 특징을 지닌다. 셋째, 탈학문적 통합이다. 이는 교과
간 구분 없이 사회문제를 주제로 선정하고 이를 바탕으로 새롭게 교육과정을 재조직하는 것으로 주제를
선정하고 탐구하는 활동을 결정하는 데 학생이 [㉢] 역할을 한다는 특징을 지닌다.

Answer

082 ㉠ 복잡성 ㉡ 종합 ㉢ 내면화
083 ㉠ 타당성 ㉡ 확실성 ㉢ 흥미
084 ㉠ 범위 ㉡ 학습 내용의 가치 / 중요성 ㉢ 학습자의 수준 ㉣ 사회문화적 이념, 가치
085 ㉠ 순서 ㉡ 단순한 것에서 복잡한 것 ㉢ 사건의 연대기적 순서
086 ㉠ 내용 요소의 연결 ㉡ 수직적 연계 ㉢ 수평적 연계
087 ㉠ 중요성 ㉡ 목표 ㉢ 학습자의 수준
088 ㉠ 정체성 ㉡ 관련되는 내용을 추출 ㉢ 주체적인

089 통합 교육과정 ★★★

성공적인 통합 교육과정 운영을 위한 성공 조건과 지원방안은 다음과 같다. 첫째, 통합과 관련한 교사의 전문성이 높아야 한다. 따라서 통합 교육과정 관련 [㉠]을(를) 확대할 수 있다. 둘째, 통합 교과에 대한 학생의 관심도가 높아야 한다. 따라서 학생들에게 통합 교과 운영과 관련한 [㉡]을(를) 제공할 수 있다. 셋째, 통합 교과 운영에 관한 교육기자재가 충분해야 한다. 따라서 통합 교과 운영에 필요한 시설인 [㉢]을(를) 마련하거나 필요 물품 등을 지원할 수 있다. 넷째, 통합 교과 운영을 위한 제도적 기반이 충분해야 한다. 따라서 교육과정 총론 등에 통합 교육과정 운영에 관한 근거 규정을 마련할 필요가 있다.

090 통합 교육과정 ★★★

통합 교육과정의 성공적 운영을 위해 수업 준비단계에서 교사의 역할은 다음과 같다. 첫째, [㉠] 등을 통해 통합 교과에서 다룰 주제를 선정한다. 둘째, 관련 교과 교사와의 업무협의를 통해 통합 교과 운영을 위한 [㉡]을(를) 결정한다.

Answer

089 ㉠ 연수 ㉡ 수업사례 ㉢ 특별실
090 ㉠ 교육과정 분석 / 우수사례 참조 ㉡ 시간활용 방안, 교수 방법

05 교육과정의 운영 및 평가

◉ 본책 p.056
◉ 빈칸 빠른답안 p.184

091 운영의 기본적 이해

교육과정 운영 시 준수해야 할 원칙은 다음과 같다. 첫째, [㉠](이)다.
교육과정 운영 시 학습자의 발달·능력·적성·진로 등을 고려하여야 한다. 둘째, [㉡](이)다.
교육과정을 실질적으로 운영하는 것은 교사로서 교사의 자주적 역할을 보장하여야 한다. 셋째, [㉢]
(이)다. 교육 구성원들의 참여를 보장하고 권한을 위임하는 등 민주적 원리에 따라 교육과정을 운영하여야
한다.

092 운영의 관점

스나이더 등의 분류에 따르면 교육과정 운영의 관점은 크게 3가지로 구분된다. 이 중 A교사는 국가 교육
과정을 최대한 그대로 이행하는 것을 강조하는데, 이러한 관점을 [㉠]
(이)라 한다. 이러한 관점에 따라 교육과정을 운영하는 경우 전국적으로 동일한 교육과정을 운영하여
교육의 [㉡]을(를) 추구할 수 있다는 장점이 있다. 반면, B교사는 교사가 자율적으로 운영하는
것을 강조하는데, 이러한 관점을 [㉢](이)라 한다. 이러한 관점에 따라 교육
과정을 운영하는 경우 학교 상황에 맞는 탄력적 운영이 가능하게 하여 교육의 [㉣]을(를)
추구할 수 있다는 장점이 있다.

093 운영의 관점 ★

스나이더 등의 분류에 따르면 교육과정 운영의 관점은 크게 3가지로 구분된다. 이 중 A교사는 학생들과
교사가 함께 학습 내용을 선정하고 탐구할 것을 강조하는데, 이러한 관점을 [㉠](이)라 한다.
이러한 관점에 따라 교육과정을 운영할 때 장점은 학생의 교육 참여를 확대하여 학생의 [㉡]
을(를) 제고할 수 있다는 점을 들 수 있다. 반면, 단점은 지나치게 흥미만 강조하는 경우 기초적인 내용
학습에 한계를 지녀 [㉢](이)가 나타날 수 있다는 점을 들 수 있다.

Answer

091 ㉠ 학습자 존중의 원리 ㉡ 자율성의 원리 ㉢ 민주성의 원리
092 ㉠ 충실도의 관점 ㉡ 형평성 ㉢ 상호적응의 관점 ㉣ 자율성
093 ㉠ 형성·생성의 관점 ㉡ 학습 동기 ㉢ 기초학력 저하

094 CBAM 모형 ★

홀의 CBAM 모형에 따르면 새로운 교육과정의 실행 정도를 결정하는 요인은 교육과정에 관한 [⊙](이)다. 즉, 이것의 고저에 따라 새로운 교육과정의 실행 정도가 다르다고 본다. 한편, 이 모형에 의하면 교사의 관심 수준이 낮은 경우 교육과정 사소화 현상이 나타날 수 있다고 보는데, 이 현상이란 [ⓒ] 때문에 교사가 교육과정을 중요하게 생각하지 않는 것이라 할 수 있다.

095 CBAM 모형 ★

교사의 관심 수준에 따라 교육과정의 실행 정도가 다르다는 CBAM 모형에 따를 때, 새로운 교육과정을 실행하기 시작하는 관심 수준의 정도는 3단계, [⊙](이)라 할 수 있다. 이 단계에서는 새로운 교육과정의 운영을 위한 정보와 자원의 효율적 활용, 시간 계획 등에 관심을 갖는다. 한편, 교육과정에 대한 교사의 관심도를 높이기 위한 방안은 다음과 같다. 첫째, 결과 수준의 관심을 불러일으키기 위해 새 교육과정 운영이 학생에게 긍정적인 영향을 미친 [ⓒ]을(를) 제공한다. 둘째, 협동 수준의 관심을 불러일으키기 위해 새 교육과정 운영을 위한 [ⓒ]을(를) 제공한다.

096 CBAM 모형 ★

교사의 관심 수준에 따라 교육과정의 실행 정도가 다르다는 CBAM 모형이 주는 교육적 시사점은 다음과 같다. 첫째, [⊙]을(를) 설명해준다. 둘째, 교사의 관심 수준을 확인하고 관심 수준을 높이기 위한 교사별 [ⓒ]을(를) 마련하는 데 도움이 된다.

097 목표중심 모형

타일러의 목표중심 평가 모형은 교육 프로그램이 명세적으로 작성한 목표의 달성 정도를 기준으로 한다. 따라서 이 모형은 목표 달성 정도를 평가하면 되므로 평가자의 [⊙] 개입을 최소화할 수 있다는 장점이 있다. 그러나 명세적으로 작성하기 어려운 [ⓒ]에 대한 평가가 곤란하다는 단점이 있다. 한편, 이 모형에 따를 때 목표의 명세화를 위한 구체적인 방법은 내용과 행동요소를 명확하게 구분하는 [ⓒ]의 작성을 들 수 있다.

098 목표중심 모형

프로버스는 달성해야 하는 표준과 실제 수행성과 간의 불일치 정도를 평가하는 모형이다. 이 모형에 근거할 때 표준은 [＿＿＿＿＿ ㉠ ＿＿＿＿＿](이)며, 수행성과는 [＿＿＿＿＿ ㉡ ＿＿＿＿＿] (이)다. 따라서 불일치의 정도는 표준과 수행성과의 격차인 [＿＿＿ ㉢ ＿＿＿](이)라 할 수 있다. 이러한 불일치를 해결하기 위해 A교사가 할 수 있는 구체적인 방안으로는 관련 교과 교사 간 전문적 학습 공동체 운영 등 교사 간 [＿＿＿＿＿ ㉣ ＿＿＿＿＿]을(를) 통해 불일치의 발생 원인 및 통합 예체능 교육 과정의 개선 사항을 발굴하는 것을 들 수 있다.

099 의사결정 모형 ★

스터플빔의 CIPP 모형에 따르면 교육 프로그램 평가를 하는 목적은 [＿＿＿＿＿ ㉠ ＿＿＿＿＿] 하기 위함이다. 따라서 이때 평가자의 역할은 교육행정가, 교사 등 의사결정자가 원활하게 의사결정을 하도록 돕는 [＿＿ ㉡ ＿＿](이)라고 할 수 있다.

100 의사결정 모형 ★

A교사는 학교 자율시간 운영을 위해 우선순위에 따라 목표를 선정하고자 한다. 따라서 스터플빔의 CIPP 모형에 근거할 때 A교사가 하려는 의사결정은 [＿＿ ㉠ ＿＿](이)라 할 수 있다. 또한 이때 필요한 평가는 의사결정과 관련한 전반적 맥락과 환경을 분석하는 [＿＿ ㉡ ＿＿](이)라고 할 수 있다.

Answer

094 ㉠ 교사의 관심 수준 ㉡ 교사들이 교육과정 개발에서 적극적 역할을 수행하지 못했기
095 ㉠ 운영 수준 ㉡ 우수사례 ㉢ 타 교사와의 협동 기회 / 연수 기회
096 ㉠ 새로운 교육과정이 현장에서 실행되지 않는 원인 ㉡ 지원방안
097 ㉠ 주관 ㉡ 정의적 특성 ㉢ 이원목적 분류표
098 ㉠ 전국 예술이음학교 학생만족도 조사 평균인 80점 ㉡ ○○학교의 만족도 점수인 70점 ㉢ 10점 ㉣ 협동적 문제해결과정
099 ㉠ 교육 프로그램의 지속 여부 결정 등의 의사결정을 위한 기초자료를 획득 ㉡ 정보제공자
100 ㉠ 계획 의사결정 ㉡ 상황평가

101　　의사결정 모형

의사결정에 관한 유용한 정보를 제공하려는 스터플빔의 CIPP 모형에서 말하는 과정평가란 [㉠] 을(를) 위한 평가로서 프로그램 실시 도중 프로그램의 운영 방법과 절차를 수정·보완하기 위한 평가를 의미한다. 이러한 과정평가의 구체적인 방법으로는 첫째, 교육 프로그램 실행 과정을 [㉡], 둘째, 교육 프로그램에 참여한 사람들을 대상으로 하는 [㉢] 을(를) 들 수 있다.

102　　의사결정 모형

스터플빔의 CIPP 모형은 교육 프로그램에 관한 의사결정을 4개로 세분화하고 그에 맞는 평가유형을 제시한다. 이때 CIPP 모형의 장점은 첫째, 프로그램의 유지·종료·개선과 관련한 의사결정에 직접적 도움이 된다는 점, 둘째, 의사결정 상황별로 [㉠] 을(를) 제시한다는 점을 들 수 있다. 반면 단점으로는 평가자는 단순히 [㉡] (으)로 역할이 한정되어 전문성의 발휘가 제한된다는 점, 의사결정 상황별 평가 방법의 개념과 구체성이 [㉢] 하다는 점을 들 수 있다.

103　　판단중심 모형　　　　　　　　　　　　　　　　　　　　　　　　　　　　　　　★

스크리븐은 교육 프로그램의 실제적 가치판단을 위해 사전에 설정한 목표 달성 정도 외에 다양한 내용들을 평가할 것을 강조한다. 이때 평가내용으로는 첫째, 의도한 목표와 [㉠] 을(를) 평가한다. 둘째, 프로그램의 내재적 가치뿐 아니라 [㉡] 도 평가한다. 따라서 이를 평가하기 위한 방법으로는 [㉢] 을(를) 들 수 있다.

104　　판단중심 모형

교육 프로그램의 운영에 따라 발생하는 다양한 측면을 평가하는 스크리븐의 탈목표평가의 교육적 시사점은 다음과 같다. 첫째, [㉠] 하여 교육 프로그램의 실제적 효과를 평가할 수 있게 하였다. 둘째, 교육 프로그램 평가에서도 [㉡] 의 필요성을 제기하였다. 반면 탈목표 평가의 한계로는 첫째, 평가 영역을 확대하는 과정에서 평가목표가 불분명해져 [㉢] 이(가) 저하될 수 있다는 점, 둘째, 현실적으로 전문적 평가보다는 평가자의 주관이 개입되어 [㉣] 이(가) 저하될 수 있다는 점을 들 수 있다.

105 판단중심 모형

아이즈너의 예술적 비평 모형에 따를 때 평가 내용의 표현기술인 교육 비평은 크게 3가지로 구분된다. 첫째, [⑦   ](이)다. 이는 교육 프로그램의 운영 결과를 있는 그대로 기술하는 것이다. 둘째, 해석적 교육 비평이다. 이는 기술한 평가 결과의 [ⓛ   ]에 대해 평가자가 해석하는 것을 의미한다. 셋째, 평가적 교육비평이다. 이는 기술과 해석을 기초하여 교육 프로그램이 갖는 교육적 의미와 가치를 [ⓒ   ]하는 것을 의미한다.

106 판단중심 모형

교육 프로그램의 전체적 실상을 평가하는 스테이크의 종합실상모형에서 평가의 대상은 다음과 같다. 첫째, 선행조건이다. 이는 교육 프로그램 실시 전에 존재하는 [⑦   ]을(를) 의미한다. 둘째, 실행요인이다. 이는 프로그램 실행 과정 중에 나타나는 교사·학생 간, 학생 상호 간의 [ⓛ   ]을(를) 의미한다. 셋째, 성과요인이다. 이는 프로그램 실시 후 학습자와 학부모에게 미치는 영향을 의미한다. 한편, 이 모형에서의 평가 절차는 우선 [ⓒ   ]을(를) 파악하고 프로그램 실시 전·중·후에 따라 나타나는 전체적 실상을 관찰한다. 이후 관찰 결과를 [ⓒ   ]에 기초하여 최종적으로 판단하는 과정을 거친다.

107 자연주의

인위적인 조작 없이 현장의 실제 상황을 평가하려는 자연주의 모형 중 하나인 반응적 평가 모형에서의 평가 내용은 평가와 직·간접적으로 관계되는 이해 관계인의 [⑦   ](이)다. 따라서 주된 평가 방법으로는 평가 진행 도중 이해관계인의 반응을 [ⓛ   ]하는 것이라 할 수 있다.

Answer

101 ⑦ 실행 의사결정 ⓛ 참여·관찰하는 평가 ⓒ 설문조사
102 ⑦ 맞춤형 평가 방식 ⓛ 정보제공자 ⓒ 불분명
103 ⑦ 의도하지 않은 목표 ⓛ 외재적 가치 ⓒ 프로그램의 운영 성과를 다각적으로 관찰·기록하는 비비교평가
104 ⑦ 평가 영역을 확대 ⓛ 전문적 평가 ⓒ 타당도 ⓒ 신뢰도
105 ⑦ 기술적 교육 비평 ⓛ 의미 ⓒ 종합적으로 판단
106 ⑦ 학습자의 특성, 학교 환경 ⓛ 상호작용 ⓒ 교육 프로그램의 의도 ⓒ 표준
107 ⑦ 프로그램에 대한 반응 ⓛ 관찰하고 이를 있는 그대로 기술

06 교육과정의 정책(우리나라 교육과정)

● 본책 p.064
● 빈칸 빠른답안 p.185

---

108 2022 개정 교육과정 ★★★

2022 개정 교육과정의 비전은 [㉠   ](이)다. 이를 세분화하면 다음과 같다. 첫째, 포용성이란 타인에 대한 [㉡   ]을(를) 의미한다. 둘째, 창의성이란 문제해결력, 융합적 사고, [㉢   ]을(를) 의미한다. 셋째, 자기주도성이란 자신에 대한 [㉣   ], 적극적 태도를 의미한다.

---

109 2022 개정 교육과정 ★★★

2022 개정 교육과정에서 제시하는 기초소양은 다음과 같다. 첫째, 언어 소양이다. 이는 텍스트를 이해하는 [㉠   ], 맥락에 맞게 언어를 사용하는 표현력, 공동체 구성원과 소통하고 참여하는 능력 등을 의미한다. 둘째, 수리 소양이다. 이는 다양한 상황에서 [㉡   ]을(를) 활용하여 문제를 해결하는 능력을 의미한다. 셋째, 디지털 소양이다. 이는 [㉢   ]을(를) 의미한다.

---

110 2022 개정 교육과정 ★★

제시문에서는 우리나라 고등학생의 어휘력을 지적하고 있는데, 이와 관련한 기초소양을 [㉠   ](이)라 한다. 이러한 소양을 함양하기 위한 교과 학습 예시는 다음과 같다. 첫째, 교과별로 관련 텍스트를 해석하고 [㉡   ]을(를) 한다. 둘째, 교과별로 자신의 생각과 감정을 효과적으로 표현하고 소통하는 [㉢   ]을(를) 한다.

111 2022 개정 교육과정 ★★★

2022 개정 교육과정에서 강조하는 자기주도성의 구성요소는 다음과 같다. 첫째, 자신에 대한 [㉠](이)다. 이는 학습 결과에 대해 스스로 책임지려는 인식을 의미한다. 둘째, 학습에 대한 [㉡](이)다. 이는 학습 과정에 주도적으로 참여하는 태도를 의미한다. 이러한 자기주도성을 높이기 위한 구체적인 방안은 다음과 같다. 첫째, [㉢]을(를) 통해 책임감을 불러일으킨다. 둘째, [㉣]와(과) 같이 학습 선택권을 부여하여 적극적 태도를 갖게 한다.

112 2022 개정 교육과정 ★★

2022 개정 교육과정에서 제시하는 더불어 사는 사람이란 공동체 의식을 바탕으로 다양성을 이해하고 서로 존중하며 세계와 소통하는 민주시민으로서 배려와 나눔, 협력을 실천하는 사람이라 할 수 있다. 이러한 사람의 육성을 위한 공동체 교육의 구체적 사례는 다음과 같다. 첫째, [㉠](이)다. 이를 통해 인종·문화의 다양성을 이해할 수 있게 된다. 둘째, [㉡](이)다. 이를 통해 갈등을 예방하고 배려와 나눔, 상호 존중을 학습할 수 있게 된다. 셋째, [㉢](이)다. 이를 통해 세계적으로 강조되는 환경보호의 중요성, 더불어 사는 생태계의 중요성 등을 학습할 수 있게 된다.

113 2022 개정 교육과정 ★★★

2022 개정 교육과정을 통해 처음으로 도입된 학교 자율시간이란 [㉠]을(를) 의미한다. 학교 자율시간의 구체적인 운영 방법으로는 첫째, 국가 교육과정에 제시되어 있는 교과목 외에 [㉡]을(를) 개설하는 것, 둘째, 기존 교과, 창의적 체험활동 시간에 학교별로 [㉢]을(를) 운영하는 것을 예시로 들 수 있다.

Answer

108 ㉠ 포용성과 창의성을 갖춘 주도적인 인재 ㉡ 배려, 소통, 공감, 공동체 의식 ㉢ 도전적인 태도 ㉣ 책임감
109 ㉠ 문해력 ㉡ 수리적 정보 ㉢ 올바른 윤리의식을 바탕으로 정보를 수집·분석하고 새로운 정보를 생산하는 능력
110 ㉠ 언어 소양 ㉡ 논증적 글쓰기 수업 ㉢ 토의토론 학습
111 ㉠ 책임감 ㉡ 적극적 태도 ㉢ 자기평가 ㉣ 학업계획서 작성
112 ㉠ 다문화 이해 교육 ㉡ 학교폭력 예방 교육 ㉢ 생태전환 교육
113 ㉠ 학생 수요를 반영하여 한 학기 중 학교별 특색 있는 교육을 실시하는 1주의 시간 ㉡ 새로운 교과 ㉢ 활동 중심의 수업

114 2022 개정 교육과정 ★

2022 개정 교육과정에서 교과 교육의 지향점을 지문과 같이 제시한 이유는 다음과 같다. 첫째, 많은 학습이 아닌 깊이 있는 학습을 통해 [㉠]하기 위함이다. 둘째, 교과 간 연계와 통합을 통해 복잡한 사회문제에 대응할 수 있는 역량을 키우기 위함이다. 셋째, 삶과 연계한 학습을 통해 [㉡]시키기 위함이다. 넷째, 학습과정에 대한 성찰을 통해 학습자의 [㉢]을(를) 기르기 위함이다.

115 고교학점제 ★

2025년 전면 적용되는 고교학점제란 [㉠]을(를) 의미한다. 고교학점제가 갖는 교육적 의의는 다음과 같다. 첫째, 교과를 다양화하여 [㉡]을(를) 넓힌다. 둘째, 학습자에게 학습 선택권을 부여하여 [㉢]을(를) 제고한다. 셋째, 사회의 요구를 반영한 과목을 개설하여 사회에서 필요로 하는 인재를 육성한다.

116 고교학점제 ★

학생에게 과목 선택권을 부여하는 고교학점제의 운영상 중점사항 3가지는 다음과 같다. 첫째, 학생의 수요를 반영한다. [㉠]을(를) 실시하고 개인별 시간표를 스스로 작성할 수 있도록 운영한다. 둘째, 진로학업설계지도를 실시한다. 학생이 원하는 진로를 분명히 하고 해당 진로를 위해 필요한 이수 과목을 안내하고 [㉡]을(를) 조력한다. 셋째, 최소 학업성취를 보장한다. 선택과목에 대해서 성취평가를 실시하고 미이수 학생에게는 [㉢]의 기회를 제공한다.

117 고교학점제 ★★

고교학점제의 성공적 운영을 위한 교사의 역할은 다음과 같다. 첫째, 담임교사는 [㉠](으)로서 역할을 수행한다. 학생별로 진로를 파악하고 진로에 따른 과목 이수 경로, 순서, 시기 등을 안내한다. 둘째, 교과교사는 [㉡](으)로서 역할을 수행한다. 학생의 수요와 수준을 고려하여 다양한 교과를 개설하고 새로운 교수학습 방법을 적용한다. 셋째, 진로전담교사는 교사들의 [㉢](으)로서 역할을 수행한다. 진로교육의 전문가로서 담임·교과 교사들에게 진로에 관한 전문 정보를 제공한다.

118 교 · 수 · 평 · 기 일체화 ★★★

2022 개정 교육과정에서는 교육과정－수업－평가－기록의 일체화를 강조한다. 이러한 교수평기의 일체화는 교육과정, 수업, 평가를 유기적 · 통합적으로 운영함으로써 학생을 교육의 중심에 두어 [　　　㉠　　　](으)로 성장시킬 수 있다는 점에서 필요성을 가지고 있다. 교수평기 일체화의 구성요소로는 첫째, 교사가 성취기준을 중심으로 기존 교육과정을 수정하는 [　　　　㉡　　　　], 둘째, 학생이 주도적으로 참여하는 [　　　　㉢　　　　], 셋째, 성취기준에 도달하기 위한 과정을 평가하는 [　　　　㉣　　　　], 넷째, 역량 함양을 위한 구체적인 증거를 제시하는 성장 중심의 기록을 들 수 있다.

119 교 · 수 · 평 · 기 일체화 ★★

교수평기의 일체화를 위한 학생중심의 수업이란 학생이 주도적으로 참여하고 교사 · 학생 간, 동료 학생 간 상호작용을 통해 역량을 함양하는 수업을 의미한다. 이때 구체적인 학생중심 수업의 종류로는 첫째, 하나의 주제에 대해 학생끼리 상호작용하는 [　　　　㉠　　　　], 둘째, 여러 학생으로 구성된 모둠이 협력하여 문제를 해결하는 [　　㉡　　], 셋째, 학생들 스스로 문제를 인식하고 가설을 설정하며, 이를 해결하는 [　　　㉢　　　], 넷째, 학생끼리 짝을 이뤄 상호 질문하고 가르치는 [　　　㉣　　　] 등을 들 수 있다.

120 교 · 수 · 평 · 기 일체화

2022 개정 교육과정에서 말하는 성취기준이란 학생들이 교과를 통해 배워야 할 내용과 이를 통해 수업 후 할 수 있거나 할 수 있기를 기대하는 능력을 결합한 수업활동의 기준을 의미한다. 이러한 성취기준의 기능은 다음과 같다. 첫째, [　　　㉠　　　]의 기준이 된다. 둘째, [　　㉡　　]의 기준이 된다. 셋째, [　　㉢　　](으)로 활용한다.

Answer

114 ㉠ 학습량을 적정화 ㉡ 배움과 삶을 일치 ㉢ 자기주도성

115 ㉠ 학생이 스스로 과목을 선택하고 학점을 누적 취득하여 졸업하는 제도 ㉡ 학습 내용의 폭 ㉢ 학습 동기

116 ㉠ 사전 수요조사 ㉡ 학업계획서 작성 ㉢ 보충학습

117 ㉠ 학업설계 상담자 ㉡ 교수학습 전문가 ㉢ 멘토

118 ㉠ 삶의 주체 ㉡ 교육과정 재구성 ㉢ 학생중심의 수업 ㉣ 과정중심의 평가

119 ㉠ 토의토론 수업 ㉡ 협동학습 ㉢ 실험실습 학습 ㉣ 하브루타 수업

120 ㉠ 수업설계 및 전개 ㉡ 교육과정 재구성 ㉢ 구체적 평가 준거

최원휘 SELF 교육학
핵심개념 456
모범답안 & 빈칸암기노트

교육방법

○ 본책 p.072
○ 빈칸 빠른답안 p.186

121 　교수학습의 기초

제시문의 학습에 대한 정의에 따를 때 학습의 특성은 다음과 같다. 첫째, [　㉠　](이)다. 학습은 계속적인 연습과 경험의 결과로 나타나는 것이다. 둘째, [　㉡　](이)다. 학습의 결과는 일시적이지 않고 지속적으로 나타난다. 셋째, 변동성이다. 이때 행동상의 변화는 운동기능적 영역뿐 아니라 [　㉢　] 영역을 포괄한다.

122 　교수학습의 3대 변인 　　　　　　　　　　　　　　　　　　　★★

라이겔루스가 제시한 교수학습의 3대 변인은 다음과 같다. 첫째, 조건변인이다. 이는 교수설계자·교사가 통제 불가한 제약조건으로 교과 내용의 특성, 교과의 목표, [　㉠　] 등이 포함된다. 둘째, [　㉡　](이)다. 이는 학습 성과를 성취하기 위해 사용되는 다양한 교수 전략으로 조직전략, 전달전략, 관리전략으로 세분화된다. 셋째, [　㉢　](이)다. 이는 교수활동의 결과로 얻어지는 성과로 효과성, 효율성, 매력성 등으로 세분화된다.

123 　교수학습의 3대 변인 　　　　　　　　　　　　　　　　　　　★★

라이겔루스가 제시한 교수학습의 3대 변인 중 조건변인이란 교수설계자·교사가 [　㉠　]을(를) 의미한다. 이를 고려할 때 A교사가 수업 설계 시 고려한 조건변인은 다음과 같다. 첫째, [　㉡　] (이)다. 교사는 교과교육과정상 제시되어 있는 학습 목표를 확인한다. 둘째, 학습자 특성이다. 교사는 학습자들의 선수학습 수준, 동기 등을 고려하여 수업을 계획한다. 셋째, 환경적 제약조건이다. [　㉢　] 등을 고려하여 수업을 설계한다.

124 　교수학습의 3대 변인

라이겔루스가 제시한 방법변인이란 학습 성과를 성취하기 위해 사용되는 다양한 [　　　㉠　　　](으)로서
조직전략, 전달전략, 관리전략으로 세분화된다. 지문의 A교사의 경우 수질오염이라는 하나의 주제를
제시하는데, 이처럼 단일한 주제를 다루는 조직전략을 [　　　　　㉡　　　　　](이)라 한다. 다음으로
B교사의 경우 환경오염의 종류를 여러 개의 주제로 나누면서 다양한 입장을 제시하고자 하는데, 이처럼
복잡한 주제를 다루는 조직전략을 [　　　　㉢　　　　](이)라 한다.

125 　교수학습의 3대 변인

라이겔루스가 제시한 교수학습의 3대 변인 중 결과변인이란 교수활동의 결과로 얻어지는 성과로 효과성,
효율성, 매력성 등으로 세분화된다. 첫째, 효과성이란 [　　　　㉠　　　　](을)를 의미하고,
둘째, 효율성은 교수학습을 위한 [　　　　㉡　　　　](을)를 의미한다. 셋째, 매력성은 후속
학습을 위한 [　　　㉢　　　]을(를) 의미한다.

126 　교수학습의 일반적 절차　　　　　　　　　　　　　　　　　　　　　　　　　★★

교수학습의 일반적 절차 중 수업의 준비단계에서 교사의 역할은 다음과 같다. 첫째, [　　㉠　　]
(이)다. 공식적 교육과정을 참고하여 해당 차시 수업의 구체적 수업목표를 설정한다. 둘째, 출발점 행동을
진단한다. 학습자 맞춤형 수업을 위해 [　　　　㉡　　　　] 등을 확인한다. 셋째, 학습 내용을
선정하고 조직한다. 목표와 학습자 수준에 맞게 [　　　㉢　　　]하거나 교과 내용의
순서를 재조직한다.

Answer

121 ㉠ 반복성 ㉡ 영속성 ㉢ 인지·정의적
122 ㉠ 학습자의 특성 ㉡ 방법변인 ㉢ 성과변인
123 ㉠ 통제 불가한 제약 조건 ㉡ 교과 목표 ㉢ 수업을 위한 기기 보유 여부, 교실 환경
124 ㉠ 교수전략 ㉡ 미시적 조직전략 ㉢ 거시적 조직전략
125 ㉠ 교육목표의 달성 정도 ㉡ 노력, 비용 대비 목표달성 정도 ㉢ 동기 유발의 정도
126 ㉠ 목표설정 ㉡ 학습자의 선수학습 수준, 학습 동기 ㉢ 교과서의 내용을 수정·보완

127 교수학습의 일반적 절차 ★

교육목표를 진술할 때 교사의 유의점은 다음과 같다. 첫째, 학습할 내용과 내용을 수행할 행동을 [　⊙　] 진술한다. 제시문과 같이 민주주의의 특징만 작성하는 경우, 이를 어떤 행동을 통해 학습하게 하는지 모호하게 된다. 둘째, [　⊙　]이(가) 해야 할 활동 목표로 진술하지 않는다. 제시문과 같이 민주주의를 다른 이념과 비교하여 설명한다는 것은 교사의 활동 중심으로 학습자 맞춤형 교육에 부합하지 않는다. 셋째, 한 수업목표 속에 [　⊙　]을(를) 포함시키지 않는다. 제시문과 같이 민주주의의 사례를 나누고 설명한다는 것은 추후 수업 정리나 평가의 방향을 불분명하게 한다.

128 교수학습의 일반적 절차 ★★★

학습자 맞춤형 교육을 위해 A교사가 실시할 수 있는 구체적 진단방법은 다음과 같다. 첫째, [　⊙　]을(를) 통해 학생의 가정환경 등 기본 발달 상황을 확인한다. 둘째, [　⊙　]을(를) 통해 학습자의 선수학습 수준과 같은 인지적 영역을 진단한다. 셋째, [　⊙　]을(를) 통해 학습자의 흥미와 같은 정의적 영역을 진단한다.

129 교수학습의 일반적 절차 ★★

수업의 실행단계는 크게 도입, 전개, 정리로 구분된다. 이때 도입단계에서의 교사의 역할은 다음과 같다. 첫째, 수업의 방향을 분명하게 하기 위해 학생들에게 [　⊙　]을(를) 제시한다. 둘째, 학습의 연속성 확보를 위해 [　⊙　]한다. 셋째, 학습자의 학습 동기를 높이기 위해 [　⊙　]을(를) 활용한다.

130 교육공학의 기초

교육공학의 정의에 근거할 때 교육공학의 5가지 영역은 다음과 같다. 첫째, [ⓐ](이)다. 이는 학습 조건을 구체화하는 과정으로서 수업을 계획하는 것에 해당한다. 둘째, [ⓑ](이)다. 설계에서 구체화된 내용을 물리적으로 완성한다. 셋째, 활용이다. 학습을 위해 수업을 전개하고 여러 자원을 사용한다. 넷째, 관리이다. 계획, 조직, 조정, 감독 등을 통해 교육공학을 통제한다. 다섯째, 평가이다. 교육공학을 활용한 교수학습의 적절성을 결정한다. 한편 최근에는 윤리적 실천을 교육공학의 정의에 포함시키는데, 윤리적 실천이란 저작권, 초상권 보호 등 교육공학을 활용할 때 지켜야 하는 [ⓒ]을(를) 의미한다.

131 교육공학의 기초

PPT를 통한 수업의 진행 시 설계 영역과 관련하여 A교사가 해야 할 일은 다음과 같다. 첫째, [ⓐ](이)다. PPT의 디자인, 글자체 등 메시지의 물리적 형태의 조직 방법을 결정한다. 둘째, 교수전략 마련이다. 학습자와 학습과제의 특성을 고려하여 목표 달성을 위한 가장 효과적인 전략을 선택하고 계획한다. 셋째, [ⓑ]을(를) 분석한다. 학습자의 일반적 특성뿐 아니라 진단평가 등을 통해 학습자의 선수학습 수준 등을 분석한다.

Answer

127 ⓐ 동시에 ⓑ 교사 ⓒ 둘 이상의 학습 결과
128 ⓐ 가정환경조사서 ⓑ 지필 진단평가 ⓒ 관찰과 면담
129 ⓐ 수업 목표(학습 목표) ⓑ 이전 차시를 요약·정리 ⓒ 시청각 자료
130 ⓐ 설계 ⓑ 개발 ⓒ 직업윤리
131 ⓐ 메시지 디자인 ⓑ 학습자 특성

○ 본책 p.077
○ 빈칸 빠른답안 p.186

---

132 교수학습 패러다임 변화

과거 전통적 패러다임의 특징은 다음과 같다. 첫째, 교수학습 방법의 측면에서 불변의 지식을 전달하기 위해 [　　㉠　　]을(를) 활용한다. 둘째, 평가의 측면에서 불변의 지식을 충분히 습득했는지 [　　㉡　　] 중심의 지필평가를 실시한다. 따라서 이러한 패러다임이 갖는 문제점은 다음과 같다. 첫째, 교사중심의 강의식 수업만을 강조하다 보면 학습자의 특성을 반영하기 곤란하다. 둘째, 결과중심의 평가로 인해 수업 중 나타나는 [　　㉢　　]을(를) 평가하기 곤란하다.

---

133 교수학습 패러다임 변화 ★

미래공학적 패러다임의 특징은 다음과 같다. 첫째, 교육의 공간은 물리적으로 닫힌 교실에서 벗어나 누구나 쉽게 지식에 접근할 수 있는 [　　㉠　　](으)로 변화한다. 둘째, 교육의 방식은 교사중심의 강의식에서 벗어나 협동학습, 토의토론 학습 등 학습자의 [　　㉡　　]을(를) 기반으로 하는 다양한 방식으로 변화한다. 이러한 특징으로 볼 때 교사와 학생의 역할은 다음과 같다. 첫째, 교사는 학생이 주도적으로 지식을 선택하고 새로운 지식을 창출할 수 있도록 돕는 [　　㉢　　]의 역할을 수행한다. 둘째, 학생은 열린 학습환경에서 새로운 지식을 창출하는 주도적인 [　　㉣　　]로서 역할을 수행한다.

---

134 프로그램 교수법

완전학습을 목적으로 학습목표에 점진적으로 접근하게 하는 스키너의 프로그램 교수법의 학습원리는 다음과 같다. 첫째, [　　　㉠　　　](이)다. 하나의 학습과정을 쉬운 것에서부터 점차 어려운 것으로 구성한다. 둘째, 적극적 반응의 원리이다. 개개인의 학생이 학습 내용에 대하여 능동적으로 참여하고 활동하도록 내용을 구성한다. 셋째, [　　　㉡　　　](이)다. 학습자의 속도에 맞게 학습할 수 있도록 기회를 제공한다.

135 프로그램 교수법 ★

학습목표에 점진적으로 접근하도록 하여 완전학습을 추구하는 스키너의 프로그램 교수법은 크게 직선형 프로그램과 분지형 프로그램으로 구분된다. 이 중 제시문의 경우 문제의 정·오답을 기준으로 다른 난이도의 과제를 제공하는데, 이러한 프로그램을 [㉠] 프로그램이라 한다. 이러한 프로그램의 경우, 학습자의 반응에 [㉡]을(를) 제공하여 학습의 심화·보완이 가능하다는 장점이 있지만, 현실적으로 교실 내에서 다수 학생별로 개별화된 프로그램을 구성하기 어렵고 프로그램에 구성에 [㉢]이(가) 소요된다는 단점이 있다.

03

136 학교학습모형

캐롤의 학교학습모형도에 따를 때 학습에 필요한 시간은 주어진 학습과제를 완전히 학습하여 목표 수준에 도달하는 데 필요한 시간을 의미한다. 이 시간에 영향을 미치는 학습자 변인으로는 첫째, 최적의 학습조건에서 [㉠]인 적성, 둘째, 학습과제의 성질 및 학습 절차를 이해하는 학습자의 능력인 [㉡]이(가) 있다. 학습에 사용된 시간은 학습자가 학습과제에 [㉢]을(를) 의미한다. 이 시간에 영향을 미치는 학습자 변인으로는 학습자가 학습을 위해 사용하려는 학습 태도, 의욕, 동기와 관련한 [㉣]이(가) 있다.

137 학교학습모형 ★

캐롤의 학교학습모형도에 따르면 학습에 사용된 시간을 높여 학습의 정도를 제고할 수 있다. 학습에 사용된 시간은 학습 기회와 학습지속력으로 세분화되는데, 이를 고려할 때 학습의 정도를 높이는 방법은 다음과 같다. 첫째, [㉠]하여 학습 기회를 높인다. 둘째, [㉡] 등 학습자의 동기를 유발하여 학습 지속력을 향상시킨다.

Answer

132 ㉠ 강의식 ㉡ 결과 ㉢ 학생의 성장 정도
133 ㉠ 열린 학습환경 ㉡ 주체성 ㉢ 안내자, 조언자 ㉣ 전문가
134 ㉠ 스몰스텝의 원리 ㉡ 자기속도의 원리
135 ㉠ 분지형 ㉡ 즉각적 피드백 ㉢ 오랜 시간
136 ㉠ 완전히 학습하는 데 필요한 시간 ㉡ 교수이해력 ㉢ 능동적으로 주의 집중하여 학습에 몰두한 시간 ㉣ 학습지속력
137 ㉠ 충분한 과제 시간을 부여 ㉡ 시청각 자료의 활용, 실생활과 관련한 과제의 제시

138 　학교학습모형 　　　　★★

캐롤의 학교학습모형도에 따르면 학습에 필요한 시간을 낮춰 학습의 정도를 제고할 수 있다. 학습에 필요한 시간은 교수의 질, 학습자의 적성, 교수이해력으로 세분화되는데 이 중 교수의 질을 높이는 방안은 다음과 같다. 첫째, 수업 전에는 학습자의 수준에 맞게 [　　　　⊙　　　　] 한다. 둘째, 수업 중에는 학습자들에게 [　　　　ⓛ　　　　] 을(를) 제공하여 맞춤형 수업이 진행되도록 한다.

139 　완전학습 　　　　★★

블룸이 제시한 완전학습이란 [　　⊙　　] 이상의 학습자가 학습과제의 [　　ⓛ　　] 이상의 내용을 학습하는 것을 의미한다. 이러한 완전학습을 위한 교사의 역할은 다음과 같다. 첫째, 수업 전 학습자의 출발점 행동을 진단하고 [　　ⓒ　　] 을(를) 제시하여 학습결손을 보충한다. 둘째, 수업 중 형성평가를 실시하고 [　　ⓔ　　] 을(를) 제공한다.

140 　완전학습

블룸의 완전학습이론은 95% 이상의 학생이 학습과제의 90% 이상을 학습하도록 교수를 설계하는 것을 강조한다. 이러한 이론은 우리 교육에 있어서 모든 학습자의 [　　⊙　　] 을(를) 보장하도록 교수학습 방법을 마련해야 함을 시사한다고 할 수 있다. 한편, 우리나라에서 이러한 완전학습과 관련한 주요 정책은 다음과 같다. 첫째, 기초학력 보장을 위한 [　　ⓛ　　] (이)다. 한 수업에 주된 교사뿐 아니라 보조교사가 참여하여 수업 중 보충학습이 필요한 학습자가 있는 경우 즉각적인 피드백을 제공해준다. 둘째, [　　ⓒ　　] (이)다. 정규수업 이후에 교사 또는 외부 강사를 활용하여 보충학습이 필요한 학습자에게 추가적인 학습과제를 제공한다.

141 유의미학습

새로운 학습과제의 내용을 기존 인지 구조와 유의미하게 관련짓게 하는 오수벨의 유의미학습이론에 따르면, 유의미학습이 나타나기 위한 학습과제의 특성은 다음과 같다. 첫째, 학습과제는 [⑦] 을(를) 가져야 한다. 이는 어떤 과제를 어떻게 표현하더라도 의미와 본성이 변하지 않는 특성을 의미한다. 둘째, 학습과제는 [ⓛ] 을(를) 가져야 한다. 학습과제와 인지구조의 관계가 한번 연결된 이후에는 그 관계가 임의적으로 변경될 수 없는 성질을 의미한다.

03

142 유의미학습 ★

오수벨의 유의미학습이 일어나기 위해 학습자가 갖추어야 할 특성은 다음과 같다. 첫째, 인지적 특성의 측면에서 학습자는 [⑦] 을(를) 지니고 있어야 한다. 이는 학습자의 인지 구조에 이미 형성된 사전 지식으로서 새로운 개념이 기존 인지 구조와 관계를 맺고 파지하는 데 도움이 된다. 둘째, 정의적 특성의 측면에서 학습자는 [ⓛ] 을(를) 지니고 있어야 한다. 이는 새로운 학습과제를 기존 인지구조에 연결하려는 학습자의 성향, 의도, 태도를 의미하며 [ⓒ] 을(를) 유발하는 데 도움이 된다.

143 유의미학습 ★

오수벨에 따를 때 새로운 과제와 학습자의 기존 인지 구조가 연결되면 유의미한 학습이 일어난다고 본다. 이를 촉진하기 위해 새로운 과제를 학습하기 전에 우선적으로 제시하는 것을 [⑦](이) 라고 한다. 이는 새로운 과제와 기존 인지 구조를 연관하도록 돕는 [ⓛ] 진술을 의미하는데, 이것의 기능은 다음과 같다. 첫째, 학습자의 기존 인지 구조를 자극하여 학습자의 [ⓒ] 을(를) 유도한다. 둘째, 앞으로 배울 새로운 과제에 대한 일반적 진술을 통해 수업목표를 명확하게 해준다. 셋째, 새롭게 제시될 개념의 관계를 부각하여 학습의 [ⓔ] 을(를) 확보하게 해준다.

Answer

138 ⑦ 학습활동을 계열화 / 교육과정을 재구성 ⓛ 학습단서(힌트)와 피드백
139 ⑦ 95% ⓛ 90% ⓒ 선수학습 과제 ⓔ 즉각적 피드백
140 ⑦ 기초학력 ⓛ 1수업 2교(강)사제 ⓒ 방과후·방학중 튜터링
141 ⑦ 실사성 ⓛ 구속성
142 ⑦ 관련 정착지식 ⓛ 유의미한 학습태세 ⓒ 학습자의 적극적 학습참여
143 ⑦ 선행조직자 ⓛ 추상적·일반적·포괄적 ⓒ 주의집중 ⓔ 연속성

144 유의미학습

오수벨의 유의미학습이론에서 제시하는 교수원리는 다음과 같다. 첫째, [㉠](이)다. 새로운 학습과제의 제시 전 일반성, 포괄성을 지닌 자료를 제시한다. 둘째, 통합적 조정의 원리이다. 새로운 개념과 기존에 학습한 내용을 의도적으로 [㉡]하여 관련성을 높인다. 셋째, 선행학습의 요약과 정리의 원리이다. 앞선 내용을 요약·정리하여 제공함으로써 후속 학습을 촉진한다. 넷째, [㉢](이)다. 학습자의 인지 구조뿐 아니라 학습자의 전반적 발달 수준도 고려한다.

145 발견학습

브루너가 제시한 발견학습의 목적은 학습자가 능동적으로 어떤 사실로부터 근본적인 개념과 원리인 [㉠]을(를) 발견하도록 함으로써 학습자의 지력을 향상시키는 데 있다. [㉠](을)를 발견하기 위한 절차로는 어떤 사실로부터 문제인식, [㉡], 가설 검증, 결론도출 및 일반화를 들 수 있다. 따라서 이때 교사의 역할은 지식의 구조를 전달하는 것이 아니라 [㉢] 하도록 돕는 조력자, 안내자의 역할이라 할 수 있다.

146 발견학습 ★

지식의 구조를 발견하는 것을 강조하는 브루너의 발견학습의 성공을 위한 교사의 수업 전략은 다음과 같다. 첫째, 수업의 도입 단계에서는 [㉠]을(를) 제공한다. 가르치고자 하는 개념의 예시와 그렇지 않은 예시를 충분히 제공한다. 둘째, 수업의 전개 단계에서는 직관적 추측을 유도한다. 개념, 단어를 직접적으로 말해주는 대신, [㉡]을(를) 통해 개념, 단어의 관계에 관해 학습자가 스스로 생각하도록 한다. 셋째, 수업의 정리 단계에서는 스스로 답을 발견하도록 한다. 이때 [㉢]을(를) 통해 학습자가 지식의 구조를 발견할 수 있도록 돕는다.

147 발견학습 ★★

오수벨의 유의미학습이론과 브루너의 발견학습이론을 비교하면 다음과 같다. 첫째, 교육목표의 측면에서 유의미학습이론은 지식 내용의 [㉠]을(를) 목적으로 하는 반면, 발견학습이론은 지식의 구조를 발견하는 것을 목적으로 한다. 둘째, 교수학습방법의 측면에서 유의미학습이론은 교사중심의 강의식을 주로 활용하나, 발견학습이론은 학습자중심의 [㉡]을(를) 주로 활용한다. 셋째, 교사의 역할 측면에서 유의미학습이론에서 교사는 지식의 전달자로서 역할을 수행하는 반면, 발견학습이론에서 교사는 학습자의 탐구를 돕는 [㉢]의 역할을 수행한다.

148 ARCS이론 ★★

켈러의 ARCS이론에서는 학습동기를 유발하는 요소와 전략을 주의집중, 관련성, 자신감, 만족감으로 구분한다. 이때 주의집중을 유도하기 위한 교수 전략은 다음과 같다. 첫째, [㉠] 등을 활용하여 학습 내용을 비일상적이고 새로운 형태로 제시한다. 둘째, 학습 내용에 [㉡]을(를) 두는 등 학습자의 호기심을 자극한다. 셋째, 교수목표 달성에 방해를 주지 않는 범위에서 [㉢]시킨다.

149 ARCS이론 ★★★

A학생의 학습동기가 떨어지는 이유를 켈러의 ARCS이론에 근거하여 설명하면 다음과 같다. A학생은 처음 배우는 독일어가 발음과 문법이 생소해 어렵다고 느끼고 있는데, 이는 [㉠] 결여로 이어질 수 있고 이로 인해 학습동기가 낮아질 수 있다. 따라서 A학생의 학습동기를 유발하는 구체적인 방법은 다음과 같다. 첫째, 학습자에게 [㉡]을(를) 제공한다. 성별이 비교적 명확해 보이는 명사에 관사를 붙이는 연습을 실시하고 점차 과제의 난이도를 올려 학습과제를 제시한다. 둘째, 학습자에게 [㉢]을(를) 부여한다. 학습자가 자신의 수준에 맞는 과제를 선택하고 학습의 시간을 조절할 수 있도록 한다.

Answer

144 ㉠ 선행조직자의 원리 ㉡ 조화·통합 ㉢ 학습준비도의 원리
145 ㉠ 지식의 구조 ㉡ 가설 설정 ㉢ 학습자 스스로가 지식의 구조를 발견
146 ㉠ 다양한 예시 ㉡ 질문 ㉢ 다양한 답들 간의 비교
147 ㉠ 파지(습득) ㉡ 탐구식 ㉢ 조언자 / 조력자 / 안내자
148 ㉠ 예시, 비유, 그림 ㉡ 빈칸 ㉢ 교수학습 방법을 변화
149 ㉠ 학습에 대한 자신감 ㉡ 학습의 성공 기회 ㉢ 수업 통제 권한

150   ARCS이론   ★

켈러의 ARCS이론에 근거할 때 B교사의 교수전략을 분석하면 다음과 같다. 첫째, B교사는 독일어를 통해 세계 일류 기업에 취업한 사례를 보여주는데, 이처럼 수업의 실용성에 중점을 두어 동기를 유발하는 것은 ARCS 요소 중 [㉠] 요소와 관련이 있다. 둘째, B교사는 수업 초기와 이후의 발음을 비교하면서 A학생이 성장했음을 보여주는데, 이처럼 성장과정을 관찰하게 하여 내재적 강화를 주는 것은 ARCS 요소 중 [㉡] 요소와 관련이 있다.

151   구성주의 공통

구성주의와 객관주의의 차이점은 다음과 같다. 첫째, 지식관의 측면에서 객관주의는 절대 불변의 지식을 전제하나 구성주의는 [㉠]을(를) 전제한다. 둘째, 교육목적의 측면에서 객관주의는 절대적 지식의 습득을 강조하나 구성주의는 상황에 따른 지식의 [㉡]을(를) 강조한다. 셋째, 교육방법의 측면에서 객관주의는 지식의 전달을 위해 주로 강의식을 활용하지만 구성주의는 지식의 활용을 위해 [㉢] 등 다양한 교수 학습방법을 활용한다.

152   구성주의 공통   ★

상황에 맞는 지식의 활용을 강조하는 구성주의를 따르는 교수·학습이론들의 공통된 특징은 다음과 같다. 첫째, [㉠](이)다. 절대불변의 지식습득이 아니라 실제 상황과 관련한 문제의 해결을 강조한다. 둘째, [㉡](이)다. 변화하는 환경에 주체적으로 대응하는 개인을 육성하기 위해 학습자의 특성을 고려한 교육을 강조한다. 셋째, [㉢](이)다. 교사 중심의 일방향 강의식에서 벗어나 교사·학생 간, 학생과 학생 간의 상호작용을 통한 지식의 재창출을 강조한다.

153   구성주의 공통   ★

지식의 맥락적 활용을 강조하는 구성주의 교수학습이론에 따를 때 교사와 학습자의 역할은 다음과 같다. 첫째, 교사는 학습자의 학습을 조력하는 [㉠] 역할을 수행한다. 지식베이스에 학생이 주도적으로 접근할 수 있는 기회뿐 아니라 지식을 활용할 수 있는 다양한 형태의 학습 현장을 제공한다. 둘째, 학습자는 학습의 주체로서 [㉡] 역할을 수행한다. 적극적으로 학습에 참여하고 [㉢]한다.

154 구성주의 공통 ★

지식을 새롭게 재구성하는 구성주의는 크게 두 가지 접근 방법을 제시할 수 있다. 첫째, ［　　㉠　　］
(이)다. 이는 A교사의 언급과 같이 개인의 ［　　　　㉡　　　　］을(를) 통해서 지식을 구성
하는 것을 의미한다. 둘째, 사회적 구성주의이다. 이는 B교사의 언급과 같이 개인과 개인 간의
［　　㉢　　］을(를) 통해 지식을 구성하는 것을 의미한다. 각 접근 방법에 따를 때 주된 학습 방법은
다음과 같다. 첫째, 문제중심학습을 통해 인지적 작용을 활성화한다. 기존 인지 구조와 다른 실제적
문제를 제공하여 학습자에게 ［　　　㉣　　　］을(를) 유발하고, 이를 해결하는 과정에서
새로운 지식을 창출할 수 있다. 둘째, 협동학습을 통해 사회적 상호작용을 활성화한다. 공동의 문제에
관해 협력하여 해결방안을 모색하는 과정에서 비고츠키가 언급한 ［　　㉤　　］을(를) 학습하고 새로운
지식을 창출할 수 있다.

03

155 구성주의 공통

구성주의를 통해 포용성과 창의성을 갖춘 주도적인 인재의 육성을 강조하는 2022 개정 교육과정을
실천할 수 있다. 첫째, 협동학습과 같은 학생 간 상호작용 중심 학습을 통해 배려와 공감을 비롯한
［　　㉠　　］을(를) 함양할 수 있다. 둘째, 실생활문제를 다루는 문제중심학습을 통해 지식의 적용과
생성과 관련한 ［　　㉡　　］을(를) 함양할 수 있다. 셋째, 자기주도학습 등 학습자중심학습을 통해
책임감, 적극적 태도와 관련한 ［　　㉢　　］을(를) 함양할 수 있다.

Answer

150 ㉠ 관련성 ㉡ 만족감
151 ㉠ 상대주의적 지식 ㉡ 실제적 활용 ㉢ 토의토론학습, 협동학습
152 ㉠ 문제중심학습 ㉡ 학습자중심학습 ㉢ 상호작용중심학습
153 ㉠ 코치 ㉡ 전문가 ㉢ 새로운 지식과 정보를 창출
154 ㉠ 인지적 구성주의 ㉡ 인지적 작용, 정신활동 ㉢ 상호작용 ㉣ 인지적 불평형 ㉤ 근접발달영역
155 ㉠ 포용성 ㉡ 창의성 ㉢ 자기주도성

156 구성주의 학습환경 설계

실제적 문제의 해결을 위해 자원과 도구를 계획하는 구성주의 학습환경 설계에 따를 때 문제해결을 위해 활용하는 자원은 다음과 같다. 첫째, [㉠](이)다. 이는 문제해결을 위한 관련 사례와 경험을 의미한다. 둘째, [㉡](이)다. 이는 문제해결을 위해 활용 가능한 텍스트, 그래픽, 비디오 등의 자료를 의미한다. 이러한 자원을 활용하는 방법은 다음과 같다. 첫째, [㉢](이)다. 이는 인지과정을 지원하고 촉진하기 위해 제공되는 시각화, 수행지원, 정보 수집 도구를 의미한다. 둘째, [㉣](이)다. 이는 학습자 상호 간에 소통하고 협력할 수 있는 도구를 의미한다. 셋째, 사회적·맥락적 지원을 의미한다. 이는 학습을 위한 물리적·문화적인 지원을 의미한다.

157 구성주의 학습환경 설계 ★

실제적 문제의 해결을 위해 자원과 도구를 계획하는 구성주의 학습환경 설계에 따를 때 교사의 역할은 다음과 같다. 첫째, [㉠](이)다. 문제를 해결할 수 있도록 학습자에게 관련 사례를 제공하거나 문제해결과정을 요약적으로 설명하여 이를 모방할 수 있도록 돕는다. 둘째, 코칭이다. 학습자의 문제 해결과정을 [㉡]하고 질문 등에 대해 피드백을 해준다. 셋째, 스캐폴딩이다. [㉢] 을(를) 제공하여 학습자가 자기 능력 이상의 것을 학습할 수 있도록 돕는다.

158 구성주의 학습환경 설계 ★

조나센은 문제를 해결하는 학습을 설계하기 위해 구성주의 학습환경 설계를 제시한다. 따라서 (가)에 해당하는 것은 [㉠]에 해당하고 이를 해결하는 자원과 도구를 동심원적으로 제시한다. 이때 문제의 특징은 다음과 같다. 첫째, [㉡](이)다. 문제와 프로젝트는 실생활에서 경험할 수 있는 특성을 가져야 한다. 둘째, [㉢](이)다. 문제와 프로젝트는 학습자의 관심을 끌 수 있도록 제시되어야 한다. 셋째, 조작공간과 함께 제공되어야 한다. 문제와 프로젝트는 학습자가 스스로 조작할 수 있도록 그 기회와 함께 제공되어야 한다.

159 구성주의 학습환경 설계

학습자의 주체적인 문제해결을 강조하는 구성주의 학습환경 설계에 따를 때 학습자의 역할은 다음과 같다. 첫째, [　　⊙　　](이)다. 학습자는 자신이 인지하고 있는 것을 명확하게 한다. 둘째, [　　⊙　　](이)다. 학습자는 자신의 학습 과정을 성찰한다. 셋째, [　　©　　](이)다. 학습자는 문제해결을 위한 정보와 지식을 스스로 발견한다.

160 문제중심학습(PBL) ★

문제중심학습에서 다루는 과제의 특성은 다음과 같다. 첫째, [　　⊙　　](이)다. 다수의 의료진이 토의를 통해 다양한 처방을 마련하는 것과 같이 문제에는 다양한 해결방안이 나올 수 있어야 한다. 둘째, 실제성이다. 실전에서 마주하는 환자의 질환처럼 문제중심학습에서의 문제는 [　　⊙　　]할 수 있어야 한다. 셋째, [　　©　　](이)다. 환자의 질환이 분명하게 나타나지 않아 의료진이 새롭게 정의해야 하는 것처럼 문제는 학습자 주도로 다양한 해석이 필요하다. 넷째, 관련성이다. 학생들에게 학습에 대한 흥미를 유발하고 동기를 부여하기 위해서 문제는 학습자의 발달단계에 적합하고 [　　②　　]와(과) 관련되어야 한다.

161 문제중심학습(PBL)

실제적 문제를 학습자 주도로 해결하는 문제중심학습의 장점은 다음과 같다. 첫째, 실생활과 관련한 문제를 제공하여 학습자의 [　　⊙　　]을(를) 유발한다. 둘째, 학습자 스스로 문제해결과정에 참여하게 하여 미래사회에 필요한 [　　⊙　　]을(를) 함양하게 한다. 반면 문제중심학습의 단점으로는, 첫째, 문제가 너무 복잡하면 [　　　　©　　　　]이(가) 나타날 수 있다는 점, 둘째, 지나치게 자기주도성만 강조하는 경우 학습자의 역량에 따라 [　　②　　]이(가) 크게 발생할 수 있다는 점을 들 수 있다.

Answer

156 ⊙ 관련 사례 ⊙ 정보자원 © 인지적 도구 ② 대화협력의 도구
157 ⊙ 모델링 ⊙ 모니터링 © 힌트나 학습의 방향
158 ⊙ 문제, 프로젝트 ⊙ 맥락성 © 표상성
159 ⊙ 명료화 ⊙ 반추 © 탐색
160 ⊙ 복잡성 ⊙ 실제로 경험 © 비구조화성 ② 실제 삶
161 ⊙ 학습동기 ⊙ 자기주도성 © 학습자가 이해하는 데 어렵고 학습에 혼란 ② 학습 격차

162 　프로젝트 학습법

프로젝트 학습법이란 [　　　　　　　⊙　　　　　　　] 을(를) 기르는 교육방법을 의미한다. 이러한 프로젝트 학습법을 통해서 길러지는 역량은 다음과 같다. 첫째, 스스로 일을 계획하는 과정에서 [　　　　ⓛ　　　　] 을(를) 함양할 수 있다. 둘째, 실제 문제를 해결하기 위해 지식을 활용하는 과정에서 [　　　　ⓒ　　　　] 을(를) 함양할 수 있다.

163 　프로젝트 학습법

일의 계획과 수행을 강조하는 프로젝트 학습법의 절차 중 (가)는 [　　　⊙　　　] (으)로서, 이는 목표 달성을 위한 대안을 마련하고 검토하는 활동을 의미한다. 또한 (나)에 해당하는 것은 [　　　ⓛ　　　] 에 해당하는데, 이는 학습자 스스로 자신의 수행과정을 평가하는 활동을 의미한다. 프로젝트 학습의 성공을 위한 교사의 역할은 다음과 같다. 첫째, (가)에 해당하는 계획 수립을 위해서 교사는 [　　ⓒ　　] 을(를) 제시하고 계획 활동과정을 관찰 및 피드백한다. 둘째, (나)에 해당하는 평가를 위해서 교사는 학습자가 스스로 평가할 수 있는 [　　ⓔ　　] 을(를) 제공한다.

164 　상황학습이론

실제 상황 속에서 과제를 해결하는 것을 강조하는 상황학습이론의 목적은 학교에서 배운 지식을 일상생활에 적용하는 것을 촉진하여 [　　⊙　　] 하는 것에 있다. 따라서 과제를 제시하는 경우, 과제와 함께 [　　ⓛ　　] 을(를) 제시하여 과제의 맥락성을 확보한다. 성공적인 상황학습이론을 위해 교사는 실제적 과제를 제공하고 [　　ⓒ　　] 을(를) 촉진하는 보조자로서 역할을 수행한다.

165 　구성주의 교수이론　　　　　　　　　　　　　　　　　　　　　★

A교사는 영상을 통해 수학 문제를 제시하고 이를 해결하도록 하는데, 이처럼 하이퍼미디어를 통해 지식을 실제 생활에 연결하게 하는 학습을 [　　　　　　⊙　　　　　　] (이)라 한다. 이 이론에 따른 교수학습 방법의 장점은 다음과 같다. 첫째, 인지적 측면에서 교실에서 배운 지식을 실생활로 [　　ⓛ　　] 하는 데 도움이 된다. 둘째, 정의적 측면에서 영상 등을 통해 과제를 제시하고 해결하게 함으로써 학습자들의 [　　ⓒ　　] 을(를) 유발하는 데 도움이 된다.

166　맥락정착적 교수이론

맥락정착적 교수이론에서는 지식과 실제 생활과의 연결을 위해 앵커를 제시할 것을 강조한다. 이때 효과적 앵커의 구성원리는 다음과 같다. 첫째, 실제적인 활동이 [　　㉠　　]하에 이루어지도록 맥락을 구성한다. 둘째, 다양한 관점에서 해결방안을 탐색하도록 맥락을 [　　㉡　　]하게 구성한다. 셋째, 학습자들의 흥미를 자극하도록 텍스트보다는 [　　㉢　　] 기반으로 맥락을 구성한다.

167　자원기반학습 ★★

학습자 스스로 다양한 자원을 선택·활용하는 것을 강조하는 자원기반학습은 정보가 폭발적으로 증가하는 지식정보사회에서 2022 개정 교육과정에서 강조하는 [　　㉠　　]을(를) 함양하기 위해 필요하다고 할 수 있다. 이때 자원기반학습을 통해 획득하는 기능은 다음과 같다. 첫째, [　　㉡　　] 기능이다. 자원기반학습을 통해 문제해결을 위한 자원을 찾아내고 자원에 포함된 지식적 요소를 발견하게 된다. 둘째, [　　㉢　　] 기능이다. 자원기반학습을 통해 문제와 정보의 가치를 분석하고 정보와 관련한 실생활 문제를 정확하게 이해하도록 해준다. 셋째, [　　㉣　　] 기능이다. 자신이 발견한 정보를 변형하고 이를 다른 사람과 공유하도록 해준다.

168　자원기반학습 ★★★

학습자 스스로 다양한 자원을 선택·활용하는 것을 강조하는 자원기반학습에서 활용할 수 있는 학습 자원의 종류는 다음과 같다. 첫째, 전통적 자원으로서 [　　㉠　　] 등 서책형 자원들이 있다. 둘째, [　　㉡　　] 자원으로서 온라인 데이터 베이스, 인터넷, 메타버스 환경 등이 있다. 셋째, [　　㉢　　] 자원으로서 지역의 문화유산, 지역의 시설 등이 있다.

Answer

162 ㉠ 교육 실제에 있어서 일의 계획과 수행 능력 ㉡ 자기관리 역량 ㉢ 지식정보 처리 역량
163 ㉠ 계획 수립 ㉡ 평가 ㉢ 계획에 대한 샘플 ㉣ 평가의 기준
164 ㉠ 학습과 실생활을 연계 ㉡ 실제 사례 ㉢ 지식의 전이
165 ㉠ 맥락정착적 교수이론(앵커드 수업 모형) ㉡ 전이 ㉢ 흥미(동기)
166 ㉠ 실제적 목적 ㉡ 복잡 ㉢ 비디오
167 ㉠ 지식정보처리 역량 ㉡ 위치확인 ㉢ 분석과 이해 ㉣ 보고 및 제시
168 ㉠ 교과서, 백과사전 ㉡ 전자적 ㉢ 환경적

169 　자원기반학습　　　　★

Big 6 skills 모형에서는 문제해결 과정에서 요구되는 정보활용 기술을 인간의 인지단계에 따라 구분한다. 이때 (가) 단계는 정보의 소재파악과 접근인데, 이와 관련한 인지 단계는 ［　　㉠　　］에 해당한다. 이 단계에서 구체적인 활동으로는 첫째, 학습자 간 협의 등을 통해 학습자가 활용하고자 하는 정보가 ［　　　　㉡　　　　］, 둘째, 인터넷 검색, 도서관 방문 등 정보원에서 ［　　㉢　　］을(를) 제시할 수 있다.

170 　자원기반학습　　　　★★★

교과서 외 다양한 자원을 활용하고, 학습자 스스로가 정보를 탐색하고 재가공하는 데 초점을 둔 자원기반학습의 장점은 다음과 같다. 첫째, 교과서 밖으로 학습 내용 범위를 확대하여 학습자의 ［　　㉠　　］을(를) 다양화한다. 둘째, 스스로 정보를 탐색하고 재가공하는 과정에서 학습자의 ［　　㉡　　］이(가) 함양된다. 반면 자원기반학습의 단점으로는, 첫째, 교과서 밖의 자원을 활용하는 과정에서 ［　　㉢　　］ 정보에 노출될 수 있다는 점, 둘째, 학습자의 기본 정보활용 능력의 차이가 학업성취도에 직접적인 영향을 미쳐 ［　　㉣　　］이(가) 발생할 수 있다는 점을 들 수 있다.

171 　자원기반학습　　　　★★★

자원기반학습은 2022 개정 교육과정에서 강조하는 기초소양과 핵심 역량을 함양하는 데 도움이 된다. 첫째, 기초소양으로서 정보를 수집·분석하고 비판적으로 이해·평가하는 ［　　㉠　　］이(가) 길러진다. 둘째, 핵심역량으로서 문제해결을 위해 다양한 영역과 지식의 정보를 활용하는 ［　　㉡　　］이(가) 길러진다. 이러한 기초소양과 핵심역량을 길러주기 위해 교사는 학생들이 올바른 윤리의식하에 정보를 다룰 수 있도록 ［　　㉢　　］을(를) 실시할 필요가 있다.

172 　인지적 유연성 이론　　　　★★

다양성이 강조되는 현실에서 인지적 유연성을 함양하는 것이 강조되고 있다. 인지적 유연성이란 여러 지식의 범주를 넘나들며 다양한 방법으로 지식을 연결하여 급격하게 변화해 가는 상황적 요구에 대해 ［　　㉠　　］을(를) 의미한다. 이러한 인지적 유연성이 함양되기 위해서 학습자의 인지구조 속에는 유연한 지식구조인 ［　　㉡　　］이(가) 형성되어야 한다. 이것을 형성시키기 위한 구체적인 방법으로는 토의·토론이 가능한 주제에 관해 다양한 입장을 제시하는 내용을 ［　　㉢　　］을(를) 통해 제공하는 방법을 제시할 수 있다.

03

173 인지적 유연성 이론 ★

급변하는 상황적 요구에 대응하기 위해 학습자 스스로 융통성 있게 지식을 활용하는 능력인 인지적 유연성을 형성시키기 위한 학습원리는 다음과 같다. 첫째, [㉠](이)다. 상황적 요구에 대응하기 위해 분과적인 교과내용보다는 실생활과 관련한 주제중심으로 학습 내용을 제시한다. 둘째, [㉡](이)다. 학습자가 스스로 과제를 다룰 수 있을 정도로 학습자의 수준을 고려하여 과제를 세분화한다. 셋째, [㉢](이)다. 하나의 주제에 관한 다양한 관점을 학습할 수 있도록 소규모의 사례 형태로 과제를 제시한다.

174 인지적 유연성 이론 ★★

매체를 활용하여 사회문제의 다양한 관점을 학습하도록 하는 인지적 유연성 이론의 장점을 학습자 측면에서 제시하면 다음과 같다. 첫째, 인지적 측면에서 인지경험을 확대하여 학습자가 [㉠]을(를) 습득할 수 있도록 한다. 둘째, 정의적 측면에서 [㉡]을(를) 활용함으로써 학습에 대한 흥미를 유발할 수 있다.

175 인지적 도제 이론 ★

전문가와 초심자 간의 상호 작용을 통해 지식을 습득하고 학습자 스스로 활용하게 하는 학습인 인지적 도제 이론의 궁극적 목적은 전문가의 행동을 [㉠]을(를) 바탕으로 [㉡]하게 하는 데 있다. 이 이론에서 제시하는 절차 중 3단계에서 학습자의 역할은 [㉢](으)로서 학습자 스스로 문제해결을 위한 가설을 수립하고, 해결방안을 탐색하는 것에 해당한다.

Answer

169 ㉠ 적용 ㉡ 어디에 있는지 소재를 파악하는 것 ㉢ 실제로 정보를 찾는 것
170 ㉠ 학습경험 ㉡ 자기주도성 ㉢ 부정확하거나 비윤리적인 ㉣ 학습격차
171 ㉠ 디지털 소양 ㉡ 지식정보처리 역량 ㉢ 정보리터러시 교육
172 ㉠ 적응력 있게 대처하는 능력 ㉡ 상황의존적인 스키마의 연합체 ㉢ 미디어
173 ㉠ 주제중심의 원리 ㉡ 세분화의 원리 ㉢ 소규모 사례 제시의 원리
174 ㉠ 다양한 지식 ㉡ 매체
175 ㉠ 모방 ㉡ 새로운 지식을 창출 ㉢ 탐색

176 　인지적 도제 이론　　　　　　　　　　　　　　　　　　　　　　　　　　★

전문가와 초심자 간의 상호 작용을 통해 지식을 습득하고 학습자 스스로 활용하게 하는 학습인 인지적 도제 이론의 1단계에서 교사의 역할은 다음과 같다. 첫째, [　　　㉠　　　](이)다. 학습자가 전문가의 바람직한 행동을 모방할 수 있도록 교사는 우수 사례를 제공하거나 시범을 보인다. 둘째, [　　　㉡　　　] (이)다. 모방을 바탕으로 학습자가 문제를 해결하는 과정에서 교사는 질문하고 피드백해준다. 셋째, [　　　㉢　　　](이)다. 학습자가 어려움에 봉착하는 경우 힌트를 제공하여 학습자 능력 이상의 것을 학습하도록 돕는다.

177 　실천공동체

실천공동체 이론에서 강조하는 실천공동체란 자신의 일에 대한 관심과 열정을 공유하고 정기적으로 타인과 상호작용함으로써 그것을 더 잘하는 방법을 배우려는 사람들의 모임을 의미한다. 이 이론에서는 초보자를 전문가로 성장시키기 위해 실천공동체에 [　　　㉠　　　](으)로 참여하도록 하는데, 이처럼 학습자가 주변인의 위치에서 점차 실천가, 전문가의 위치로 이동하는 것을 [　　　　㉡　　　　] (이)라고 한다. 이것이 현실화되었을 때 교육적 의의로는 공동체 내에서 상호작용을 통한 단계적 성장을 통해 개인뿐 아니라 [　　　　㉢　　　　]을(를) 이룩할 수 있다는 점을 들 수 있다.

178 　상보적 교수이론　　　　　　　　　　　　　　　　　　　　　　　　★★

상보적 교수이론은 교사와 학습자, 또는 학습자들끼리 서로 역할을 바꿔가면서 대화를 통해 교재를 읽어가도록 한다. 따라서 이를 통해 달성하려는 학습자의 역량은 교재를 읽고 쓰는 [　　　㉠　　　](이)라고 할 수 있다. 이 이론을 적용한 수업에 주로 활용하는 교수전략은 다음과 같다. 첫째, [　　　㉡　　　] (이)다. 교재의 제목, 사진, 머리말 등만 읽고 전체 내용을 예측해 본다. 둘째, [　　　㉢　　　](이)다. 글을 읽어나가면서 중요한 내용을 학습자끼리 서로 질문한다. 셋째, 명료화하기이다. 글 속의 어려운 단어를 이해하기 위해 다시 읽어보면서 글의 내용을 명료화한다. 넷째, [　　　㉣　　　](이)다. 글을 정독한 이후에 중요한 내용을 중심으로 요약한다.

179 상보적 교수이론 ★

학습자 간 상호작용을 통해 텍스트를 읽고 이해하고 요약하는 상보적 교수이론의 장점은 다음과 같다.
첫째, 학습자 간 협동을 통해 혼자서는 학습할 수 없었던 [㉠]을(를) 학습할 수 있도록 해준다.
둘째, 텍스트를 읽고 요약하는 활동을 통해 기초 소양으로서 [㉡]을(를) 기르게 해준다.
반면 이 이론의 단점으로는, 첫째, 학습의 시너지 효과를 낼 수 있는 [㉢]하기
어렵다는 점, 둘째, 과학실험, 신체활동과 같이 텍스트 외 다른 수업으로 해당 이론을 [㉣]하기
곤란하다는 점을 들 수 있다.

03

180 목표기반 시나리오 ★

학습자들에게 역할을 부여하여 지식과 기술을 습득해가도록 하는 목표기반 시나리오의 구성요소는
다음과 같다. 첫째, 목표를 설정하기 위해 수행해야 하는 과제를 제시하는데 이를 [㉠](이)
라고 한다. 둘째, 해당 과제와 관련한 상황 맥락을 이야기 형식으로 설명하는데 이를 [㉡]
(이)라고 한다. 셋째, 학습자가 과제해결과정에서 어려움을 겪는 경우 교사가 적절한 도움을 제공하는데
이를 [㉢](이)라 한다.

Answer

176 ㉠ 모델링 ㉡ 코칭 ㉢ 스캐폴딩
177 ㉠ 단계적 ㉡ 합법적 주변 참여 ㉢ 공동체의 성장
178 ㉠ 문해력 ㉡ 예견하기 ㉢ 질문하기 ㉣ 요약하기
179 ㉠ 근접발달영역 ㉡ 언어소양 ㉢ 우수한 학습자를 선정 ㉣ 일반화
180 ㉠ 미션(임무) ㉡ 표지이야기 ㉢ 피드백

03 교수설계

◉ **본책** p.095
◉ **빈칸 빠른답안** p.189

181 교수설계의 기초

수업의 과정을 체제적 과정이라고 보는 관점을 교수설계의 [　　ㄱ　　] 접근이라 한다. 이러한 접근방법은 교육 목표, 학습자 특성, 교과 내용 등 교수설계와 관련한 모든 구성 요소들이 [　　　　ㄴ　　　　]한다고 전제하는 것을 특징으로 한다. 이러한 접근방법의 교육적 효과는 다음과 같다. 첫째, 교수설계와 관련한 모든 요소를 고려하여 [　　ㄷ　　]에 맞는 교수설계를 가능하게 한다. 둘째, 교수설계를 분절적 단계가 아닌 총체적 활동으로 보아 [　　ㄹ　　] 관점에서 교수설계를 지속 수정·보완이 가능하도록 해준다.

182 ISD모형 ★★

교수설계의 일반적인 절차는 다음과 같다. 첫째, 분석이다. [　　　　ㄱ　　　　] 등을 분석하여 수업의 목표를 선정한다. 둘째, 설계이다. 분석을 바탕으로 [　　ㄴ　　] 을(를) 진술하고 교수학습방법과 교육매체를 선정한다. 셋째, [　　ㄷ　　](이)다. 가르칠 자료를 개발하고 해당 자료에 대한 형성평가 및 피드백을 통해 교수자료를 개선한다. 넷째, 평가이다. 교수학습을 실제로 전개한 이후에 교수자료 및 프로그램에 대한 적절성 평가를 시행한다.

183 ISD모형 ★

일반적인 교수설계 절차 중 첫 번째 단계인 분석단계에서는 요구분석을 실시한다. 요구분석이란 [　　　　ㄱ　　　　]을(를) 확인하는 것으로, 이를 통해 수업 목표의 우선순위를 파악할 수 있다. 이때 구체적인 요구분석 기법은 다음과 같다. 첫째, [　　ㄴ　　](이)다. 학습자 집단에게 어떤 유형의 교육프로그램이 가능한지 프로그램의 종류, 자주 활용되는 프로그램 등을 조사한다. 둘째, [　　ㄷ　　](이)다. 관심집단의 표본을 대상으로 우편, 면담, 전화 등을 통해 요구를 파악한다.

184   ISD모형   ★

교수설계의 일반적 절차로서 학습과제 분석이 필요한 이유는 목표 달성을 위해 필요한 [㉠] 을(를) 파악하고 이들 간의 관계와 계열성을 확인하기 위함을 들 수 있다. 이때, 지문의 각 교사가 활용한 학습과제 분석의 방법은 다음과 같다. 첫째, A교사는 [㉡]을(를) 활용하였다. 사찰의 명칭과 지역처럼 논리적 구조가 없는 언어적 정보의 경우 교수 목표와 관련한 정보를 범주별로 묶어서 분석한다. 둘째, B교사는 [㉢]을(를) 활용하였다. 목표 달성을 위해 학습자의 수준을 단계별로 분석 하고 이에 맞는 학습과제를 분류한다.

185   ISD모형   ★★★

학습자의 내적 특성과 외적 특성을 이해하기 위해 활용할 수 있는 구체적인 학습자 분석 방법은 다음과 같다. 첫째, 내적 특성 중 하나로서 선수학습 수준과 같은 인지적 특성을 파악하기 위하여 [㉠]을(를) 실시한다. 둘째, 내적 특성 중 학습 동기와 같은 정의적 특성을 파악하기 위하여 [㉡]을(를) 실시한다. 셋째, 외적 특성 중 가정환경을 파악하기 위하여 [㉢]을 (를) 확인한다.

186   교수설계이론   ★

가네의 교수설계이론에서는 학습자의 내적 조건에 따라 외적 조건을 제공해야 한다고 본다. 이때 내적 조건은 학습자가 가진 내적 인지과정과 학습에 대한 태도로 [㉠] 등을 의미한다. 한편 외적 조건은 학습자의 내적 인지과정을 돕는 환경적 자극으로서 외적 조건 형성을 위한 기본 원리는 다음과 같다. 첫째, [㉡](이)다. 행동에 강화가 제공되면 학습이 보다 원활 하게 이루어진다. 둘째, [㉢](이)다. 학습자의 반응에 즉각적인 피드백이 있는 경우 학습의 효과성이 높아진다. 셋째, 연습의 원리이다. 학습자에게 [㉣]을(를) 제공하면 학습이 촉진된다.

Answer

181 ㉠ 체제적 ㉡ 종합적이고 유기적으로 상호작용 ㉢ 상황 ㉣ 종합적

182 ㉠ 학습과제, 학습자 특성, 학습환경 ㉡ 구체적 행동목표 ㉢ 개발

183 ㉠ 바람직한 상태와 현재 상태 간의 격차 ㉡ 자원명세서 조사 ㉢ 설문조사

184 ㉠ 지식, 기능, 태도 ㉡ 군집분석 ㉢ 위계분석

185 ㉠ 지필 진단평가 ㉡ 관찰과 면담 ㉢ 가정환경조사서(학부모 상담)

186 ㉠ 학습자의 선수학습 능력, 학습 동기 ㉡ 강화의 원리 ㉢ 접근의 원리 ㉣ 연습문제, 복습과제

187 교수설계이론 ★★

가네의 교수설계이론에 따를 때 수업의 도입단계에서 주된 외적 수업사태는 다음과 같다. 첫째, ⬚ ㉠ ⬚ (이)다. 수업 관련 시각자료를 제시하여 학생들의 주의집중을 유도한다. 둘째, ⬚ ㉡ ⬚ (이)다. 해당 차시의 구체적 수업목표를 진술하여 학습자를 동기화시킨다. 셋째, 선수학습 확인이다. 이전 시간에 배운 내용은 간단하게 요약하여 학습자의 ⬚ ㉢ ⬚ 을(를) 활성화시키고 ⬚ ㉣ ⬚ 을(를) 확보한다.

188 교수설계이론 ★

가네의 교수설계이론에 따를 때 수업의 전개단계에서 교사가 해야 할 일은 다음과 같다. 첫째, 학습자료가 학습자의 장기기억에 저장되도록 ⬚ ㉠ ⬚ 을(를) 제시한다. 기존 학습자가 가진 지식과 비교·대조하는 활동을 제시하여 학습 내용에 관한 ⬚ ㉡ ⬚ 을(를) 통한 파지를 유도한다. 둘째, 학습자의 수행을 유도하도록 ⬚ ㉢ ⬚ 을(를) 제공한다. 질문 활동, 토의토론 활동을 통해 학습자가 스스로 학습자료를 탐색·회상·수행하도록 한다.

189 교수설계이론 ★

가네의 학습위계이론에서는 학습의 결과 형성된 능력을 5가지 수준으로 분류한다. 이때, 위계성을 가지는 능력은 ⬚ ㉠ ⬚ (으)로서 이는 상징적 기호를 사용하여 환경과 상호작용하는 능력을 의미한다. 이 능력을 위계적으로 분석하였을 때 가장 기초적인 학습은 고전적 조건형성과정을 통해 수동적으로 행동을 획득하는 ⬚ ㉡ ⬚ (이)며, 가장 심화된 학습은 한 가지 이상의 규칙을 조합하여 다양한 문제 상황에 적용하고 해결방안을 모색하는 ⬚ ㉢ ⬚ (이)다.

190 교수설계이론 ★

가네의 학습위계이론에 따를 때 수업을 통해 형성되는 인지전략이란 학습자 스스로가 자신만의 독특한 방식으로 [　　㉠　　]을(를) 의미한다. 지문을 참고했을 때 인지전략의 유형을 제시하면 다음과 같다. 첫째, [　　㉡　　](이)다. 우선 정보들을 구조화하고 세부 정보들을 배치함으로써 하나의 구조로서 정보를 정리한다. 둘째, [　　㉢　　](이)다. 정보를 구조적으로 정리한 이후 이를 반복해서 읽거나 쓰는 활동을 통해 정보를 암기한다.

03

191 교수설계이론

거시적 교수전략으로서 라이겔루스의 정교화이론에 따를 때 구체적인 정교화 전략은 다음과 같다. 첫째, [　　㉠　　](이)다. 학습 내용을 조직할 때 단순한 내용에서 복잡한 내용의 순서로 계열화한다. 둘째, [　　㉡　　](이)다. 새로운 학습 내용을 학습하기 이전에 먼저 갖추어야 할 능력 중심으로 내용을 제시한다. 셋째, [　　㉢　　](이)다. 이미 학습한 내용을 다시 한 번 검토, 복습하게 한다. 넷째, [　　㉣　　](이)다. 학습 내용 요소를 사전 지식에 유의미하게 동화시킨다.

192 교수설계이론

[　　㉠　　] 조직 전략으로서 단일 아이디어를 가르치는 교수설계 이론인 라이겔루스의 개념학습의 종류는 다음과 같다. 첫째, [　　㉡　　](이)다. 개념의 정의와 사례를 통해 개념의 특성을 파악하도록 한다. 둘째, [　　㉢　　](이)다. 새로운 사태에 대해 획득한 개념의 사례인지 여부를 구분한다. 셋째, [　　㉣　　](이)다. 해당 개념과 관련한 다른 여러 개념 등의 지식과 종합적인 연관성을 파악하도록 한다.

Answer

187 ㉠ 주의 획득 ㉡ 수업 목표 제시 ㉢ 선택적 지각 ㉣ 수업의 연속성
188 ㉠ 학습안내 ㉡ 의미적 부호화 ㉢ 연습 기회
189 ㉠ 지적기능 ㉡ 신호학습 ㉢ 고차원규칙학습
190 ㉠ 기억·사고하는 능력 ㉡ 조직화 ㉢ 리허설
191 ㉠ 정교화된 계열화 ㉡ 선수학습능력 계열화 ㉢ 요약자 ㉣ 종합자
192 ㉠ 미시적 ㉡ 개념 획득 ㉢ 개념 적용 ㉣ 개념 이해

193 교수설계이론 ★

미시적 조직 전략 중 하나인 라이겔루스의 개념학습에 따를 때 개념을 획득하기 위한 구체적 교수학습 방법은 다음과 같다. 첫째, 개념을 제시한다. 해당 개념의 가장 본질적인 특성을 제시하고 [　　　　⊙　　　　]을(를) 함께 제공하면서 개념을 일반화하도록 한다. 둘째, 개념의 적용을 연습시킨다. [　　⊙　　]을(를) 제공하여 다양한 사례에 해당 개념을 적용할 수 있도록 한다. 셋째, [　　⊙　　] 제공이다. 개념의 습득 및 적용 활동 과정에서 보이는 학생활동을 교사는 관찰하고 칭찬과 격려를 통해 학습자를 동기화한다.

194 교수설계이론

학습 내용 조직 전략으로서 정교화이론과 내용요소제시이론의 차이점은 다음과 같다. 정교화이론은 [　　⊙　　]을(를) 다루는 거시적 조직전략이나 내용요소제시이론은 개념, 사실 등 [　　⊙　　] 을(를) 다루는 미시적 조직전략이다. 한편 내용요소제시이론에서는 단일한 개념을 담은 학습목표를 분석하기 위해 내용과 수행으로 이원화하는 [　　⊙　　]을(를) 제시한다.

195 교수설계이론

내용요소제시이론에서는 내용과 수행을 구분하는 내용수행행렬표를 통해 학습목표를 분석하고 이에 맞는 수업전략을 세운다. 이때 수업에 다루는 내용, 즉, 과제의 유형은 다음과 같다. 첫째, [　　⊙　　] (이)다. 이는 사건, 사물, 장소와 같은 정보의 조각을 의미한다. 둘째, [　　⊙　　](이)다. 이는 공통적인 속성을 가지는 사물, 사건, 기호의 집합을 의미한다. 셋째, [　　⊙　　](이)다. 이는 문제를 해결하는 데 필요한 단계들의 계열을 의미한다. 넷째, [　　⊙　　]이다. 이는 사건·현상을 해석하고 이해하고자 하는 데 사용된 인과관계, 상관관계를 예측할 수 있게 해주는 법칙을 의미한다.

196 교수설계이론 ★

내용요소제시이론에서는 교수의 효과성을 높이기 위해 부가적인 자료를 제시하는 2차 자료 제시 유형을 강조한다. 이것의 세부 유형으로는 첫째, [　　⊙　　]의 제시이다. 교수 내용과 관련한 상황이나 역사적 배경을 제시하여 학습에 관한 전반적 상황에 대한 이해를 돕는다. 둘째, [　　⊙　　]의 제공 이다. 새로운 학습을 위해 알아야 할 선수지식을 제시하여 단계적으로 새로운 학습 내용에 접근하도록 한다. 셋째, [　　⊙　　]을(를) 제공한다. 단일한 아이디어를 효과적으로 기억할 수 있도록 암기 방법을 제시한다.

197 교수설계모형

타일러의 합리적 모형에 근거하여 교수설계를 할 때 학습경험 선정의 일반원칙은 다음과 같다. 첫째, [㉠   ](이)다. 학생들이 실제로 경험할 수 있도록 기회를 제공해야 한다. 둘째, 가능성의 원칙이다. 학생들의 [㉡   ]을(를) 고려하여 학습경험을 선정해야 한다. 셋째, [㉢   ](이)다. 학생들이 경험한 결과에 대해 만족감을 느끼도록 해야 한다. 넷째, 경험의 원칙이다. 하나의 목표를 달성하기 위해 다양한 경험과정을 거칠 수 있도록 해야 한다.

198 교수설계모형

글레이져의 교수설계모형 3단계인 학습지도 절차는 학생의 특성에 맞는 학습지도를 수행하는 것으로, 이것의 계획을 위한 교사의 구체적 실행전략은 다음과 같다. 첫째, 수업 도입 단계에서 활용할 학습자의 동기를 유발하는 방법을 모색한다. [㉠   ] 등 학습자들의 주의집중을 높일 수 있는 방법을 계획한다. 둘째, 수업 전개 단계에서 활용할 학습과제 제시 방법을 고안한다. 목표와 학습내용과 [㉡   ]을(를) 고려하여 설명식, 탐구식, 질문식 등 다양한 내용 제시방식을 계획한다. 셋째, 수업 정리 단계에서 활용할 내용 정리 및 전이를 촉진할 수 있는 정리자료를 계획한다. 정리퀴즈 문제, [㉢   ]을(를) 준비한다.

199 교수설계모형 ★

일반적 교수설계 모형을 보다 구체화한 애디모형의 단계별 명칭과 세부활동은 다음과 같다. 첫째, 분석 단계이다. 이 단계에서는 [㉠   ] 등을 통해 교수설계의 방향을 결정한다. 둘째, 설계단계이다. 이 단계에서는 분석의 결과를 바탕으로 목표를 명세화하고 [㉡   ]을(를) 선정한다. 셋째, 개발단계이다. 이 단계에서는 분석·설계에 근거하여 실제 활용할 교수 자료를 제작한다. 넷째, 실행단계이다. 이 단계에서는 개발단계에서 제작한 교수 프로그램을 교육 현장에 실제로 적용한다. 다섯째, 평가단계이다. 이 단계에서는 프로그램의 [㉢   ]을(를) 평가하며 교수설계가 바람직했는지 가치 판단한다.

Answer

193 ㉠ 가장 전형적인 예시 ㉡ 연습 문제 ㉢ 피드백
194 ㉠ 복잡한 내용 ㉡ 단일한 내용 ㉢ 내용수행행렬표
195 ㉠ 사실 ㉡ 개념 ㉢ 절차 ㉣ 원리
196 ㉠ 맥락 ㉡ 선수학습 지식 ㉢ 기억술
197 ㉠ 기회의 원칙 ㉡ 발달 수준, 능력 ㉢ 만족의 원칙
198 ㉠ 시청각 자료의 활용 ㉡ 학습자의 특성 ㉢ 실생활과 관련한 후속과제
199 ㉠ 요구분석, 학습자 분석, 환경분석 ㉡ 교수전략과 매체 ㉢ 효과성

200 교수설계모형

일반적 교수설계모형으로서 애디모형의 설계단계에 반영되어야 하는 내용은 다음과 같다. 첫째, 학습목표이다. 이때 학습목표는 [　　　㉠　　　](으)로 진술한다. 둘째, 학습 내용이다. 목표를 달성할 학습 내용을 [　　　㉡　　　]을(를) 고려하여 계열화한다. 셋째, 학습 방법이다. 학습내용을 효과적으로 전달하기 위한 방법, [　　　㉢　　　] 등을 결정한다.

201 교수설계모형　　★

일반적 교수설계 모형을 구체화한 딕과 캐리 모형의 교수분석 단계에서 해야 할 분석 내용은 다음과 같다. 첫째, [　　㉠　　](이)다. 교수학습의 최종적인 목표를 순차적으로 달성하기 위하여 최종목표와 관련한 모든 하위기능을 분석한다. 둘째, [　　㉡　　](이)다. 교수 목표가 인지적·정의적·운동적 영역 중 어느 영역에 해당하는지 분석한다.

202 교수설계모형

딕과 캐리 모형은 일반적 교수설계모형을 구체화한 이론으로서 다른 모형들과 마찬가지로 성취목표를 진술할 때 구체적 행동 용어로 진술해야 한다. 이때 목표에 반영되어야 하는 요소는, 첫째, 학습이 끝났을 때 학습자가 성취할 것으로 기대되는 [　　㉠　　], 둘째, 행동이 실행될 [　　㉡　　], 셋째, 행동의 성취 여부를 판단할 [　　㉢　　]을(를) 들 수 있다.

203 교수설계모형　　★

딕과 캐리 모형에서는 최종 목표를 성취하기 위한 수업 운영 방법을 결정하는 단계로서 교수전략 개발 단계를 제시한다. 이때 교사가 고려해야 할 사항은 다음과 같다. 첫째, 교수학습에 관한 전문적 [　　　㉠　　　]을(를) 반영하여 교수전략의 전문성을 높인다. 둘째, 학습목표와 내용에 맞는 최적의 [　　㉡　　]을(를) 선정한다. 셋째, 학습자의 특성을 고려하여 [　　㉢　　]을(를) 개발한다.

204 교수설계모형

딕과 캐리 모형에서 형성평가란 교수 프로그램을 교육현장에 투입하기 전에 시범적으로 적용하는 평가
로서 구체적 방법은 다음과 같다. 첫째, [⠀⠀⠀⠀⠀⠀⊙⠀⠀⠀⠀⠀⠀](이)다. 진행하고자 하는 교수 프로그램을 일부
학생들을 대상으로 시범적으로 운영하고 피드백을 받는다. 둘째, [⠀⠀⠀⠀⠀⠀⠀⠀⠀ⓛ⠀⠀⠀⠀⠀⠀⠀⠀⠀](이)다.
전문 장학활동을 통해 교수 프로그램에 관한 전문가의 코칭을 받는다. 교수 프로그램에 관한 형성평가
시 평가의 기준으로는 첫째, 학습자 맞춤형 교육을 위한 [⠀⠀⠀⠀⠀ⓒ⠀⠀⠀⠀⠀], 둘째, 교육
과정과의 일관성 확보를 위한 [⠀⠀⠀⠀⠀⠀ⓔ⠀⠀⠀⠀⠀⠀]을(를) 제시할 수 있다.

205 교수설계모형

딕과 캐리 모형에서의 총괄평가는 실제 수업 이후에 교수 프로그램의 총체적 가치를 평가하는 것으로,
이 평가를 실시하는 이유는 [⠀⠀⠀⠀⠀⠀⠀⠀⠀⊙⠀⠀⠀⠀⠀⠀⠀⠀⠀]을(를) 결정하기 위함이다.
따라서 총괄평가 시에는 정확하고 중립적인 가치판단이 이루어질 수 있도록 별도의 [⠀⠀⠀ⓛ⠀⠀⠀]에게
평가를 의뢰하여야 한다.

206 교수설계모형

기존 교수설계모형을 비판하며 등장한 윌리스의 R2D2모형과 기존 일반적 교수설계모형의 차이점은
다음과 같다. 첫째, 근거이론의 측면에서 일반적 교수설계모형은 일반적 단계가 있음을 가정하는 객관
주의에 근거하나, R2D2모형은 일반적 단계를 부정하는 [⠀⠀⠀⊙⠀⠀⠀]에 근거한다. 둘째, 교수목표
설정의 시기 측면에서 일반적 교수설계 모형에서 교육목표는 프로그램을 구체적으로 계획하기 이전에
설정하나, R2D2모형에서는 목표가 사전에 설정되는 것이 아니라 [⠀⠀⠀ⓛ⠀⠀⠀]에 형성된다고 본다.

Answer

200 ⊙ 구체적 행동 용어 ⓛ 학습자 수준 ⓒ 매체
201 ⊙ 학습과제 ⓛ 목표 유형
202 ⊙ 성취 행동 ⓛ 조건 ⓒ 준거
203 ⊙ 학습이론과 연구 결과 ⓛ 교수매체 ⓒ 학습자 맞춤형 교수전략
204 ⊙ 소집단 평가 ⓛ 일대일 평가 ⓒ 학습자 특성과의 부합성 ⓔ 목표의 적절성
205 ⊙ 개발된 수업 프로그램의 지속적인 사용 여부 ⓛ 외부 평가자
206 ⊙ 구성주의 ⓛ 설계 과정 중

04 교수매체에 대한 이해

◉ 본책 p.104
◉ 빈칸 빠른답안 p.190

---

207 교수매체 연구 ★

수업에서 교수매체를 활용했을 때 교육적 효과를 학습자 측면에서 제시하면 다음과 같다. 첫째, 인지적 측면에서 ⟦　　ㄱ　　⟧을(를) 높인다. 교육매체를 통해 학습 내용의 전달 방식, 속도, 형태 등을 상황과 조건에 맞게 다양화하여 학습자가 손쉽게 지식을 받아들이도록 돕는다. 둘째, 정의적 측면에서 ⟦　ㄴ　⟧을(를) 유발한다. 시청각 자료를 활용함으로써 Keller의 ARCS 이론에서 언급한 ⟦　ㄷ　⟧을(를) 높여 학습 동기를 높일 수 있다.

---

208 교수매체 연구

교수매체의 효과성에 관한 연구로는 크게 비교연구와 속성연구를 들 수 있다. 이때 교수매체 비교연구란 ⟦　　　　　ㄱ　　　　　⟧을(를) 의미한다. 이 연구 방법은 매체 간의 효과성 차이를 직접적으로 보여준다는 장점이 있지만 한계는 다음과 같다. 첫째, 매체 활용 수업은 ⟦　ㄴ　⟧까지 수반하는 경우가 많아 매체만의 효과인지 명확하게 구분하기 어렵다. 둘째, 매체를 활용하면 학습자들의 주의집중도가 높아지게 되는데, 이러한 ⟦　ㄷ　⟧효과로 인해 매체의 효과성이 과대평가될 수 있다.

---

209 교수매체 모형

교수매체와 관련한 벌로의 SMCR모형에서는 의사소통과정에서 필요한 요소를 송신자, 메시지, 경로, 수신자로 구분한다. 이때 송신자인 교사가 보내는 메시지에 들어가게 되는 주관적 요소는 다음과 같다. 첫째, 교사의 ⟦　ㄱ　⟧(이)다. 교사의 어법, 대화법이 메시지의 내용에 영향을 미친다. 둘째, 교사의 ⟦　ㄴ　⟧(이)다. 교사가 갖는 교육관과 학습자에 대한 인식에 따라 메시지의 수준과 범위가 변화한다. 셋째, ⟦　ㄷ　⟧(이)다. 학습 내용에 관해 가지고 있는 교사의 전문지식에 따라 메시지가 변화한다.

210 교수매체 모형

쉐넌과 쉬람의 커뮤니케이션 모형에 따를 때 의사소통에 영향을 미치는 요소는 다음과 같다. 첫째, 송·수신자가 가지고 있는 [　　　㉠　　　](이)다. 송·수신자가 공통으로 [　　　㉠　　　]이(가) 많을수록 송신자가 부호화한 내용을 수신자가 해독하기 용이하다. 둘째, 의사소통 과정에서 발생하는 [　　㉡　　](이)다. 이는 물리적인 것뿐 아니라 의사 소통자가 갖는 편견, 오해 등 심리적 요인도 포함된다.

211 미래형 교수매체　★

수업에서 활용하기만 하는 과거의 교수매체와 달리 미래형 교수매체는 다음의 특징을 지닌다. 첫째, [　　㉠　　](이)다. 메타버스 교실과 같이 미래형 교수매체는 교사의 통제권을 강조하기보다는 학습자에게 통제권을 부여한다. 둘째, [　　㉡　　]중심적이다. 교사의 설명식 수업에 관한 보조자료, 수단이라기보다는 교수매체를 활용한 체험, 탐구를 강조해 매체 그 자체가 교육적 효과를 지니게 된다.

212 ASSURE모형　★

효과적인 교육매체의 선정을 위한 ASSURE모형은 다음과 같은 단계를 거친다. 첫째, [　　㉠　　](이)다. 진단평가, 상담 등을 통해 학습자의 기본적·인지적·정의적 특성을 분석한다. 둘째, 목표 진술이다. 학습자의 특성을 고려하여 학습 목표를 구체적으로 진술한다. 셋째, [　　㉡　　](이)다. 목표 달성에 적합한 매체와 자료를 선정한다. 넷째, 매체와 자료 활용이다. [　　㉢　　] 하고 매체를 실제 수업에 활용한다. 다섯째, [　　㉣　　](이)다. 매체 활용의 효과성을 높이기 위해 수업 중 학습자의 적극적 참여를 유발한다. 여섯째, 평가와 수정이다. 학습자와 수업에 대한 평가를 통해 향후 매체활용 수업을 설계하는 데 기초 자료로 활용한다.

Answer

207	㉠ 학습 내용에 대한 이해도 ㉡ 학습 동기 ㉢ 주의집중
208	㉠ 전통적인 수업방식과 새로운 매체를 사용한 수업방식의 효과성을 비교하는 연구 ㉡ 교수방법의 변화 ㉢ 신기성
209	㉠ 통신기술 ㉡ 태도 ㉢ 지식수준
210	㉠ 경험의 장 ㉡ 소음
211	㉠ 학습자 주도적 ㉡ 탐구활동
212	㉠ 학습자 분석 ㉡ 매체와 자료 선정 ㉢ 수업 직전의 상황을 검토 ㉣ 학습자 참여 유도

213 ASSURE모형 ★★★

ASSURE모형은 교육의 효과성을 높이기 위한 매체와 자료 선정을 돕는 교수설계 모형이다. 이 모형에 따를 때 매체를 선정하는 기준은 다음과 같다. 첫째, [㉠](이)다. 매체는 교육목표 달성에 적합해야 하므로, 매체 선정 시 교육목표와의 부합성을 검토한다. 둘째, 확보가능성이다. 교육현장에서 매체를 구비할 수 있는지 [㉡] 등을 고려한다. 다음으로 자료를 선정하는 기준은 다음과 같다. 첫째, 자료의 [㉢](이)다. 정확한 내용 전달을 위해서 자료는 최신이어야 하며 틀린 내용이 없어야 한다. 둘째, 학습자의 [㉣](이)다. 학습자의 학습참여를 극대화하기 위해 자료는 학습자의 주의집중을 이끌 수 있어야 한다.

214 ASSURE모형 ★★★

ASSURE모형에 따를 때 매체 및 자료 활용단계는 매체를 활용하기 직전의 사항을 검토하고 이를 실제 수업에 적용하는 것을 의미한다. 따라서 이때 구체적인 활동은 다음과 같다. 첫째, 매체와 자료의 [㉠](이)다. 예를 들어 영상자료를 활용하는 경우 영상 전후로 상업적·비윤리적 광고가 나오는지 검토한다. 둘째, 자료 준비이다. 예를 들어 수업에 활용할 자료를 최종적으로 제작하고, 수업 지도안을 통해 자료를 [㉡]한다. 셋째, [㉢](이)다. 예를 들어 매체 활용 수업을 위한 책상 배치를 바꾼다거나 필요한 스마트기기를 설정한다. 넷째, [㉣](이)다. 예를 들어 수업 도입부에서 매체 활용 수업을 안내하여 학습자에게 수업에 대한 기대감을 형성시킨다.

215 ASSURE모형 ★★

ASSURE모형에서는 매체 활용의 교육적 효과를 극대화하기 위해 학습자의 참여 유도를 강조한다. 학습자의 참여를 유도하는 구체적인 방법으로는 다음과 같다. 첫째, [㉠]을(를) 해준다. 교사는 학습자가 본래의 목적대로 매체를 활용하고 있는지 관찰하고 수정할 부분이 있으면 이를 알려주고 학습자가 스스로 행동을 교정하도록 한다. 둘째, [㉡]을(를) 제공한다. 매체를 활용하여 창작물을 만들게 하거나, 발표의 기회를 제공하여 수업 참여도를 높인다.

Answer

213 ㉠ 타당성 ㉡ 구입 비용 ㉢ 정확성 ㉣ 흥미유발성
214 ㉠ 사전 검토 ㉡ 계열화 ㉢ 환경 준비 ㉣ 학습자 준비
215 ㉠ 피드백 ㉡ 연습의 기회

● **본책** p.107
● **빈칸 빠른답안** p.190

216 　강의식 수업　　　　　　　　　　　　　　　　　　　　　　　　　　　　　　　★★

교수자의 주도하에 일방적 설명을 통해 학습 내용을 전달하는 강의식 수업의 한계는 다음과 같다. 첫째,
교사 중심의 일방적 학습 내용 전달로 인해 [　　　　　　　　㉠　　　　　　　　]하는 데 한계가 있다. 둘째,
교사의 설명 능력에 의존하기 때문에 교사의 설명 역량에 따라 수업의 질적 차이가 크게 나타난다. 이러한
한계를 극복하기 위한 방안은 다음과 같다. 첫째, 수업 중 [　　　　　　　　㉡　　　　　　　　]
하여 학습자들의 흥미를 유발한다. 둘째, 교사의 역량 강화를 위한 강의식 수업 연수자료를 제공한다.

217 　문답식 수업　　　　　　　　　　　　　　　　　　　　　　　　　　　　　　　　★

강의식 수업에 대한 보완으로서 수업 중 교사와 학생 간의 질의응답을 강조하는 문답식 수업을 활용할
수 있다. 이때 문답식 수업의 장점은 다음과 같다. 첫째, 질문을 통해 학습자로 하여금 적절한 긴장을
불러일으키고 [　　　　㉠　　　　]할 수 있다. 둘째, 개방형 질문을 통해 학습자들의
[　　　　㉡　　　　]을(를) 함양할 수 있다. 이러한 장점을 극대화하기 위한 교사의 역할은 다음과
같다. 첫째, 다양한 학습자들이 수업에 참여할 수 있도록 [　　　　㉢　　　　] 등을 통해 질문할
학생을 다양하게 선정한다. 둘째, 고등정신 사고 능력 함양을 위해 [　　　　㉣　　　　]을(를)
부여한다.

218 　토의토론식 수업　　　　　　　　　　　　　　　　　　　　　　　　　　　　　　★

A교사는 학급 내 30명의 학생을 3개의 소집단으로 나누어 집단 내 구성원이 대등한 관계에서 토론 수업을
진행하도록 하는데, 이와 같이 학습자 전원이 대등하게 참여하여 다양한 생각을 나누는 수업을
[　　㉠　　](이)라 한다. 이러한 수업의 장점은 다음과 같다. 첫째, 학습자 전원에게 대등한 권한을
부여함으로써 [　　㉡　　]이(가) 활성화될 수 있다. 둘째, 다양한 생각을 나눔으로써 창의적인 생각이
공유되고 [　　㉢　　]이(가) 함양될 수 있다.

Answer

216　㉠ 학습자의 흥미를 유발 ㉡ 자료제시 방식을 변화시키거나 질의응답을 강화
217　㉠ 학습 참여를 유도 ㉡ 고등정신 사고 능력 ㉢ 무작위 뽑기 ㉣ 충분히 생각할 시간
218　㉠ 원탁토론 ㉡ 학습자의 참여 ㉢ 포용성

219 협동학습 ★

과거의 단순 소집단 학습과 현대의 협동학습 간의 차이는 다음과 같다. 첫째, [　　　　㉠　　　　]의 유무이다. 물리적인 형태의 모임에 불과한 과거의 소집단 학습과 달리, 협동학습은 집단 내 구성원의 수행이 다른 구성원에게 도움이 된다는 것을 전제로 활동을 진행한다. 둘째, [　　　㉡　　　]의 유무이다. 개별 구성원의 성과가 개별 보상으로만 한정되는 과거의 소집단 학습과 달리, 협동학습에서는 구성원의 수행이 전체 수행 결과에 영향을 미치고 집단 보상으로까지 이어진다. 셋째, 동등한 성공기회의 유무이다. 일부 우수한 학생들의 주도로만 활동이 나타나던 과거의 소집단 학습과 달리, 협동학습에서는 모든 구성원들에게 [　　　㉢　　　]을(를) 부여하여 수업에 참여하도록 한다.

220 협동학습 ★

협동학습은 운영방식과 보상방식에 따라 다양하게 구분된다. 이때 A교사는 두 차례 쪽지 시험의 결과 개인의 향상점수를 측정하고 이를 집단점수로 환산하여 보상하는데 이를 [　　　㉠　　　](이)라 한다. 반면 B교사는 쪽지시험 대신 게임을 실시하는데 이를 [　　㉡　　](이)라 한다. [　　　㉠　　　]의 장점으로는 학업성취도가 낮은 학생들도 향상점수를 통해 집단에 기여할 수 있도록 하여 [　　㉢　　]을(를) 확보할 수 있게 해준다는 점을 들 수 있다. [　　　㉡　　　]의 장점으로는 게임을 통해 [　　㉣　　]을(를) 완화하고 학습자들의 흥미를 유발할 수 있다는 점을 들 수 있다.

221 협동학습 ★

제시문과 같이 변형된 JIGSAW 모형의 장점은 다음과 같다. 첫째, 전문가 평가를 통해 전문가들의 [　　㉠　　]을(를) 확보하게 해준다. 둘째, 전체 학습 내용을 정리하고 요약함으로써 학습 내용에 대한 [　　㉡　　]을(를) 돕는다. 셋째, 개별 향상점수를 팀 점수로 환산하여 보상함으로써 보상의 [　　㉢　　]을(를) 높인다.

222 협동학습

자율적 협동학습 모형에서 집단별 학습주제를 배분하는 방식은 다음과 같다. 첫째, 큰 주제를 소주제로 나누고 집단에서 이를 [㉠]하도록 한다. 둘째, 집단 내에서 세부 주제를 선정하고 구성원이 이를 [㉡]한다. 한편, 이 모형에 따를 때 학습결과를 평가하는 방법은 다음과 같다. 첫째, [㉢](이)다. 구성원이 분담한 세부 주제의 활동 사항에 대해서 팀 내에서 기여도 평가를 실시한다. 둘째, 교사의 [㉣](이)다. 모둠 내 활동, 모둠 간 활동 과정을 교사가 관찰한다. 셋째, 전체 학생에 의한 보고서 평가이다. 팀별 활동 결과로 나온 보고서를 발표하고 보고서와 발표에 대해 학급 전체가 평가한다.

223 협동학습 ★★

학습자의 주체적 참여를 통해 다양한 의견을 공유하는 협동학습의 장점은 다음과 같다. 첫째, 주체적 참여를 통해 학습자의 [㉠]이(가) 함양될 수 있다. 둘째, 다양한 의견을 공유하는 과정에서 포용성과 창의성이 함양될 수 있다. 반면 협동학습의 단점으로는 첫째, 학습자의 자율성을 지나치게 강조하면 학습자의 흥미만을 강조한 활동으로 치우쳐 [㉡]이(가) 상실될 수 있다는 점, 둘째, 다양한 의견을 공유하는 과정에서 [㉢]이(가) 나타날 수 있다는 점을 들 수 있다.

224 협동학습 ★★

여러 학습자가 팀을 이뤄 학습하는 협동학습에서 발생할 수 있는 부정적 효과는 다음과 같다. 첫째, [㉠](이)다. 우수한 학습자가 학습활동을 독점하여 계속해서 높은 성취를 보이게 되고 이로 인해 학습격차가 심화될 수 있다. 둘째, [㉡](이)다. 별다른 노력 없이도 집단 구성원이 동일한 보상을 받을 수 있는 경우 학습에 소극적이게 된다. 셋째, [㉢](이)다. 우수한 학습자가 자신의 노력에 따른 결과가 집단과 공유되는 것에 불만을 가져 학습에 소극적으로 참여할 수 있다.

Answer

219 ㉠ 긍정적 상호의존성 ㉡ 개별책무성 ㉢ 역할
220 ㉠ STAD모형 ㉡ TGT모형 ㉢ 개별 책무성 ㉣ 평가부담
221 ㉠ 개별 책무성 ㉡ 파지 ㉢ 상호의존성
222 ㉠ 선택 ㉡ 분담 ㉢ 팀 동료에 의한 동료평가 ㉣ 관찰평가
223 ㉠ 자기주도성 ㉡ 학습의 방향 ㉢ 개인 간, 집단 간 의견 갈등
224 ㉠ 부익부 빈익빈 현상 ㉡ 무임승차 효과 ㉢ 봉효과

225 개별화 학습

ATI는 학습자의 개별적 특성에 따라 효과적인 수업방식이 다르다고 전제한다. 따라서 이 이론에 근거할 때 수업의 질을 결정하는 요인은 다음과 같다. 첫째, [ⓐ](이)다. 이는 학습자 개인의 학업적인 특성으로서 진단평가, 면담 등을 통해 이를 확인할 수 있다. 둘째, [ⓑ](이)다. 이는 어떤 수업 방법을 사용할 것인지에 대한 고려로서 [ⓒ] 등을 통해 이를 확인할 수 있다.

226 자기주도학습   ★★

자기주도학습이란 학습자 스스로가 학습의 참여 여부에서부터 목표 설정 및 교육 프로그램의 선정과 교육평가에 이르기까지 교육의 전 과정을 [ⓐ]을(를) 의미한다. 자기주도학습을 유도하는 방법은 다음과 같다. 첫째, [ⓑ](이)다. 교사는 성공 사례, 시범 등을 제공하여 학습자의 불안감을 제거한다. 둘째, 성취동기의 자극이다. 학습자들의 수준에 맞는 과제를 제시하고 [ⓒ]을(를) 느끼게 하여 학습에 자신감을 갖도록 한다. 셋째, 학습을 계획, 점검, 조절, 평가하는 [ⓓ] 활용 방법을 가르친다. 학업계획서를 작성하게 하거나 자기 평가를 위한 체크리스트를 제공하여 학습에 관한 책임감을 갖도록 한다.

227 탐구학습   ★

제시문에서는 문제인식－가설설정－검증－일반화의 과정을 거치는 수업을 제시하는데, 이러한 교수 학습방법을 [ⓐ](이)라 한다. 이러한 방법의 장점으로는 첫째, 탐구의 과정을 통해 [ⓑ]이(가) 형성될 수 있다는 점, 둘째, 스스로 문제를 인식하고 검증하는 과정 등을 통해 자기주도성이 함양될 수 있다는 점을 들 수 있다. 따라서 이때 교사의 역할은 다음과 같다. 첫째, 수업의 목적, 방향 등을 사전에 안내하고 실험기기 등 탐구에 적합한 수업환경을 조성한다. 둘째, 학습자가 자율적으로 다양한 해결방안을 모색할 수 있도록 [ⓒ] 과제를 제공 한다.

Answer

225 ⓐ 학습자의 적성 ⓑ 수업 처치 ⓒ 선행연구, 수업사례
226 ⓐ 자발적 의사에 따라 선택하고 결정하여 학습하는 형태 ⓑ 모델링 ⓒ 성취동기 ⓓ 메타인지
227 ⓐ 발견학습 ⓑ 실생활 문제해결능력 ⓒ 열린 형태, 복잡성을 가진

06 디지털 대전환시대 새로운 교수학습법

● **본책** p.112
● **빈칸 빠른답안** p.191

228 컴퓨터활용 교수법

컴퓨터를 통해 학습자를 가르치는 컴퓨터 보조학습의 장점은 다음과 같다. 첫째, 교사 측면에서 컴퓨터를 통해 교사의 설명을 보완함으로써 [　　　　　　　　　⊙　　　　　　　　　]한다. 둘째, 학습자 측면에서 학습자들에게 친숙한 컴퓨터를 활용함으로써 학습자들의 흥미를 유발한다. 한편, 이러한 학습의 구체적 유형은 다음과 같다. 첫째, [　　　⊙　　　](이)다. 학습자의 수준별로 다른 학습 목표를 제시하고 해당 목표를 달성하기 위한 학습과제를 세분화시켜 제시하는 방식을 의미한다. 둘째, [　　　⊙　　　] (이)다. 비용 등 현실적인 제약조건으로 직접적으로 경험하기 어려운 학습 내용의 경우, 컴퓨터를 통해 간접적으로 경험할 수 있는 기회를 제공하는 방식을 의미한다.

229 컴퓨터활용 교수법

제시문에서처럼 온라인상의 학습자들이 직접 자료를 수정하고 공유하도록 하는 교수학습 방법을 [　　　　　　⊙　　　　　　](이)라 한다. 이 방법의 장점은 다음과 같다. 첫째, 온라인에 있는 다양한 학습자원을 활용함으로써 [　　　　　⊙　　　　　]이(가) 확대된다. 둘째, 학습자들이 직접 자료를 수정·공유하는 활동을 통해 [　　　　　⊙　　　　　]을(를) 높인다.

230 새로운 교수학습 방법 ★

교수자·학습자가 직접 대면하지 않고 매체 등을 통해 이루어지는 원격수업은 크게 3가지 유형으로 구분된다. 첫째, [　　　　　⊙　　　　　](이)다. 이는 화상 매체를 활용하여 실시간으로 상호작용이 나타나는 수업을 의미한다. 둘째, [　　　　　⊙　　　　　](이)다. 이는 교사가 제작하거나 녹화한 영상물, PPT 등을 온라인에 탑재하고 학생들이 가능한 시간에 이를 수강하는 수업을 의미한다. 셋째, [　　　　　⊙　　　　　](이)다. 이는 온라인상에 학습과제를 제시하고 정해진 시간까지 과제 결과물을 제출하도록 하는 수업을 의미한다.

Answer

228 ⊙ 학습 내용 전달 시간을 단축 ⓛ 개인교수형 ⓒ 시뮬레이션형
229 ⊙ 컴퓨터지원 협력학습(위키기반 수업) ⓛ 학습자의 인지적 학습경험 ⓒ 학습의 흥미도
230 ⊙ 실시간 쌍방향 수업 ⓛ 콘텐츠 활용중심 수업 ⓒ 과제중심 수업

231 원격수업 ★

공간적 격리, 다양한 매체를 활용하는 원격수업의 장점은 다음과 같다. 첫째, 교수자와 학습자가 서로 다른 공간에 있으면서도 수업을 가능하게 하여 [㉠]을(를) 극복하게 해준다. 둘째, 다양한 매체를 활용함으로써 학습자들의 주의집중을 유도하고 [㉡]을(를) 제고한다. 반면 원격수업의 단점으로는, 첫째, 교수자와 학습자 간 직접적 대면이 불가하므로 [㉢]이(가) 어렵다는 점, 둘째, 수단인 매체에 교육이 [㉣]되어 교육 본질의 가치가 손상될 수 있다는 점을 들 수 있다.

232 새로운 교수학습 방법 ★★

먼저 온라인에서 기본적 내용을 수강하고 이후 오프라인에서 기본적 내용을 활용하는 활동중심의 수업을 하는 수업방식을 [㉠](이)라 한다. 이 수업방식의 장점으로는, 첫째, 온라인으로 기본내용을 숙지하는 과정에서 학습자는 자신의 수준에 맞게 학습 속도, 반복 수강이 가능해져 [㉡]이(가) 가능하다는 점, 둘째, 교실 내 다양한 학습활동을 하면서 [㉢]을(를) 함양할 수 있다는 점을 들 수 있다.

233 에듀테크 활용 교육 ★★★

에듀테크를 활용한 교육의 구체적 실행 방안으로 [㉠]을(를) 들 수 있다. 이는 물리적 교실 공간을 탈피하여 가상의 교육 공간을 조성하고 그 안에서 활동 중심의 교육활동을 전개하는 것으로, 이러한 교육이 주는 교육적 의의는 다음과 같다. 첫째, 활동의 주체는 [㉡](으)로서 이러한 교육을 통해 학습자의 자기주도성이 함양될 수 있다. 둘째, [㉢]을(를) 확대하여 학습자가 다양한 교육경험을 할 수 있도록 해준다.

234 　에듀테크 활용 교육　　　　　　　　　　　　　　　　　　　　　　　　　　　★★

가상 공간에서 교육활동을 전개하는 메타버스 활용 수업이 기존 매체 활용 교육과 다른 점은 다음과 같다. 기존 매체 활용 교육에서는 교사가 주도하여 교사의 교수활동을 보조하는 방식으로 전개되었다면, 메타버스 활용 수업에서는 [　　　㉠　　　](이)가 주도하여 학습자의 활동을 스스로 설계한다는 점에서 차이가 있다. 성공적인 메타버스 활용 교육을 위한 조건은 다음과 같다. 첫째, 충분한 [　　　㉡　　　] (이)다. 보다 원활한 교육경험을 제공하기 위해서 최신의 스마트기기, 온라인 환경 등이 구비될 필요가 있다. 둘째, 전문적 인적 조건이다. 학습자의 자기주도성을 극대화하기 위해서 수업에 관한 교사의 [　　　㉢　　　]이(가) 확보되어야 한다.

03

235 　하브루타 수업　　　　　　　　　　　　　　　　　　　　　　　　　　　　　　★

하브루타 수업이란 [　　　　　　　　　　㉠　　　　　　　　　　]을(를) 의미한다. 하브루타 수업의 장점으로는, 첫째, 학습자 간 상호작용을 통해 혼자서는 학습할 수 없지만 도움을 통해 학습할 수 있는 [　　　㉡　　　]의 내용을 학습할 수 있다는 점, 둘째, 자신의 입장과 다른 입장을 경청하고 토론하는 과정에서 배려, 소통과 같은 [　　㉢　　]을(를) 함양할 수 있다는 점을 들 수 있다.

236 　새로운 교수학습 방법　　　　　　　　　　　　　　　　　　　　　　　　　　★

제시문과 같이 한 수업에 여러 명의 교사가 협력해서 가르치는 방식을 [　　㉠　　](이)라 한다. 이 수업방식의 구체적 운영형태로는 다음과 같다. 첫째, 주제수업과 관련하여 수업을 [　　㉡　　] (으)로 나누고 시간대별로 다른 교과 교사가 들어가 해당 주제와 관련한 교과 내용을 가르친다. 둘째, 학생들을 소집단으로 나누어 여러 교사가 집단별로 [　　㉢　　]하면서 학습활동을 관찰하고 피드백 해준다.

Answer

231　㉠ 시공간적 제약 ㉡ 학습동기 ㉢ 즉각적 피드백 ㉣ 종속화
232　㉠ 거꾸로 수업(플립드 러닝) ㉡ 개별 맞춤형 수업 ㉢ 고등정신 사고 능력
233　㉠ 메타버스 교실 수업 ㉡ 학습자 ㉢ 교육의 장
234　㉠ 학습자 ㉡ 물적 조건 ㉢ 전문성
235　㉠ 학생들끼리 짝을 이루어 서로 질문을 주고받으며 논쟁하는 토론 교육 ㉡ 근접발달영역 ㉢ 포용성
236　㉠ 팀티칭 ㉡ 전반부와 후반부 ㉢ 순회

최원휘 SELF 교육학
핵심개념 456
모범답안 & 빈칸암기노트

IV

교육평가 및 교육연구방법론

01 교육평가의 이해

○ 본책 p.118
○ 빈칸 빠른답안 p.192

237 교육평가의 기초

교육평가를 바라보는 관점은 크게 측정관, 평가관, 총평관으로 구분된다. 지문의 경우 학습의 결과를
양적으로 수치화하는 것을 강조하는데 이와 관련한 관점을 [㉠](이)라 한다. 이 관점에 근거한
평가 방법의 장점으로는 학생들의 성취 수준을 수치화하여 학생들의 목표 달성 정도를 [㉡]
(으)로 알 수 있다는 점이 있지만, 단점으로는 수치화하기 곤란한 [㉢]와(과) 관련한 부분은
평가하기 곤란하다는 점을 들 수 있다.

238 교육평가의 기초 ★

학습자의 자아실현을 목적으로 학습자를 종합·전체적으로 평가할 것을 강조하는 총평관에 따르면
평가 내용은 학습자의 목표 달성 정도뿐 아니라 정의적 영역을 반영한 [㉠]도 해당한다.
따라서 이를 평가하기 위한 방법으로는 [㉡]을(를) 제시할 수 있다. 한편,
이러한 평가를 실시할 때는 조작적으로 정의되지 않은 요인을 분석적으로 정의하고 평가가 그러한
요인을 타당하게 평가하고 있는가를 중점적으로 확인해야 하는데, 이와 관련한 평가의 양호도를
[㉢](이)라 한다.

239 교육평가의 기초 ★

교사의 교육관에 따라 교육평가 방법이 달라진다. A교사의 경우 우수한 학생을 선발하는 것을 강조하는데
이러한 교육관을 [㉠](이)라 한다. 반면, B교사의 경우 교육을 통해 누구나 목표를 달성할
수 있다고 보는데 이러한 교육관을 [㉡](이)라 한다. 이때 [㉠]은(는) 학생의 성취 수준을
수치화하고 상대적 위치를 파악하는 [㉢]와(과) 부합하고, [㉡]은(는) 목표 수준을
제시하고 달성의 정도를 확인하는 [㉣]와(과) 부합한다.

240 교육평가의 기초 ★★★

2022 개정 교육과정에 근거할 때 교육평가의 기능은 다음과 같다. 첫째, [㉠   ] (이)다. 평가를 통해 학습자의 수준을 총괄적으로 정확하게 파악할 수 있다. 둘째, [㉡   ] (이)다. 평가를 통해 학습자의 부족한 부분을 드러내 주고 보충학습을 위한 자료로 활용할 수 있다. 셋째, [㉢   ] (이)다. 평가 결과를 바탕으로 교사는 교수학습의 질을 개선할 수 있다.

241 교육평가의 기초 ★

평가의 질 개선을 위해 메타평가를 활용할 수 있다. 메타평가란 [㉠   ] 을(를) 의미한다. 메타평가를 할 때 평가의 기준은 다음과 같다. 첫째, [㉡   ] (이)다. 평가 결과를 바탕으로 수업을 개선할 수 있었는지, 또는 보충학습을 위한 기초자료로 활용할 수 있었는지를 확인한다. 둘째, [㉢   ] (이)다. 평가가 지나치게 스트레스를 유발하지 않았는지, 도덕적으로 정당했는지 등을 평가한다.

242 교육평가의 운영 ★★

타당도와 신뢰도 높은 평가를 실시하기 위해 평가의 준비단계에서 해야 할 일은 다음과 같다. 첫째, [㉠   ] 을(를) 분명히 제시한다. 학습자의 성취 수준 달성 정도인지, 서열화인지 확인한다. 둘째, 평가 목적에 맞는 평가 유형을 선정한다. 목적이 서열화인 경우 [㉡   ], 목표 달성 정도인 경우 [㉢   ] 을(를) 선정한다. 셋째, 평가 유형에 맞는 [㉣   ] 을(를) 제작한다. 선택형, 논·서술형 등 상황에 맞는 다양한 문항을 제작한다.

Answer

237 ㉠ 측정관 ㉡ 객관적 ㉢ 정의적 영역
238 ㉠ 학생 성장의 정도 ㉡ 과정중심평가 ㉢ 구인타당도
239 ㉠ 선발적 교육관 ㉡ 발달적 교육관 ㉢ 규준참조평가 ㉣ 준거참조평가
240 ㉠ 학습에 대한 평가 기능(총괄적 기능) ㉡ 학습으로서의 평가 기능(형성적 기능으로서 발달적 기능) ㉢ 학습을 위한 평가 기능(형성적 기능으로서 처방적 기능)
241 ㉠ 평가에 대한 평가 ㉡ 평가의 실용성 ㉢ 평가의 적합성
242 ㉠ 평가의 목적 ㉡ 상대평가(규준참조평가) ㉢ 절대평가(준거참조평가) ㉣ 세부 문항

243 교육평가의 운영 ★★

2022 개정 교육과정 총론에 교육평가 운영 시 지켜야 할 원칙은 다음과 같다. 첫째, 일관성의 원칙이다. ⟦ ㉠ ⟧에 근거하여 평가를 실시하고, 가르친 것 외에는 평가하지 않는다. 둘째, ⟦ ㉡ ⟧(이)다. 학습의 결과뿐 아니라 학습자의 성장 과정을 종합적으로 평가한다. 셋째, ⟦ ㉢ ⟧(이)다. 평가 시 학생의 인지적 역량과 정의적 역량을 균형 있게 고려하여 평가한다.

244 교육평가의 운영

평가 진행 시 발생할 수 있는 인상의 오류란 ⟦ ㉠ ⟧이(가) 평가에 영향을 미치는 오류를 의미한다. 예를 들어 피평가자가 반장이라서 높은 점수를 주는 것을 들 수 있다. 이러한 오류를 방지하기 위한 방안으로는, 첫째, 피평가자의 이름이나 신상정보를 가리고 평가하는 ⟦ ㉡ ⟧, 둘째, 다수의 평가자가 평가하는 ⟦ ㉢ ⟧을(를) 들 수 있다.

245 교육평가의 운영

지문에서는 가창시험에서 우수한 성적을 거둔 학생이 음악감상문 작성도 잘했을 것이라 판단하는데, 이처럼 두 평정 요소 간에 논리적 상관관계에 없음에도 이를 있다고 판단하는 오류를 ⟦ ㉠ ⟧(이)라고 한다. 이러한 오류를 방지하기 위한 방안으로 둘 이상의 평가 시 평가 간 ⟦ ㉡ ⟧을(를) 두는 방법을 제시할 수 있다.

Answer

243 ㉠ 성취기준 ㉡ 과정중심의 원칙 ㉢ 균형의 원칙
244 ㉠ 전반적 인상, 품성, 배경에 대한 선입견 ㉡ 블라인드 평가 ㉢ 집단 평가
245 ㉠ 논리적 오류 ㉡ 적절한 시간 간격

교육평가의 유형

● 본책 p.122
● 빈칸 빠른답안 p.192

246 기본적인 분류

평가 대상을 수량화하는 양적평가의 주된 목적은 수량화를 통해 [⑤   ] 하는 데 있다. 이러한 양적평가의 경우 집단 내에서 학습자의 수준을 파악하여 [⑥   ] 하는 데 용이하다는 장점이 있지만, [⑥   ] 에 대해서는 평가하기가 곤란하다는 단점이 있다.

247 기본적인 분류 ★

평가 대상을 이해·분석·판단하려는 질적 평가의 구체적인 방법으로는 평가 대상을 심층적으로 이해하는 [⑤   ] 을(를) 들 수 있다. 이러한 질적평가가 필요한 이유로는, 첫째, 수치화하기 곤란한 학습자의 [⑥   ] 영역을 정확히 이해할 수 있다는 점, 둘째, [⑥   ] 을(를) 확인할 수 있어 교육의 본질적 목적과 부합한다는 점을 들 수 있다.

248 진행 과정에 따른 분류 ★★

학습이 시작되기 전에 학습자를 평가하는 진단평가의 목적으로는 다음과 같다. 첫째, 학습자 특성을 이해함으로써 [⑤   ] 을(를) 마련할 수 있다. 둘째, 학습자의 수준을 고려하여 학생을 [⑥   ] 할 수 있다. 따라서 진단평가의 영역으로는, 첫째, 정의적 영역으로서 학습자의 [⑥   ] , 둘째, 인지적 영역으로서 [②   ] 등을 제시할 수 있다.

Answer

246 ⑤ 법칙을 발견하거나, 평가 대상을 서열화 ⑥ 우수한 학생을 선발 ⑥ 수량화하기 힘든 영역
247 ⑤ 상담, 관찰평가 ⑥ 정의적 ⑥ 학생의 성장 과정
248 ⑤ 학습자 맞춤형 수업전략 ⑥ 배치 ⑥ 학습동기 ② 선수학습 수준

249 진행 과정에 따른 분류 ★★

평가를 실시 시기에 따라 분류할 때, 제시문에서처럼 교수학습 진행 중에 실시하는 평가를 [㉠](이)라 한다. 이때 수업 중 실시할 수 있는 구체적인 방법으로는 첫째, 학습 내용에 대해 물어보고 대답하는 [㉡], 둘째, 간단한 사실 숙지 여부를 확인하는 [㉢] 등을 제시할 수 있다.

250 진행 과정에 따른 분류 ★

교육평가는 실시 시기에 따라 진단평가, 형성평가, 총합평가로 구분된다. 이때 총합평가란 [㉠]하는 것을 의미한다. 한편, 내용의 측면에서 총합평가 시 교사가 유의해야 할 사항은 다음과 같다. 첫째, 타당도가 높은 평가를 위해 [㉡]만 평가해야 한다. 둘째, 종합적인 역량 평가를 위해 단순 지식, 사실에 대한 내용뿐 아니라 [㉢]이(가) 필요한 내용도 평가에 반영한다.

251 참조준거에 따른 분류 ★★

규준참조평가란 학습자 간 [㉠]을(를) 통해 학습자의 집단 내 [㉡]을(를) 확인하는 평가를 의미한다. 이러한 평가 방식은 학습자 간 경쟁을 통해 [㉢] 동기를 유발할 수 있다는 장점이 있지만, 과도한 경쟁으로 학습자에게 [㉣]을(를) 줄 수 있다는 단점이 있다.

252 참조준거에 따른 분류 ★★

학습자 간 경쟁을 배제하고 개별 목표 달성 정도를 확인하는 준거참조평가는 다음의 장점을 지닌다. 첫째, 목표 수준에 비해 학습자의 달성 정도를 직접적으로 알 수 있어 추후 학습의 [㉠]을(를) 정하는 데 용이하다. 둘째, 학습자 간 경쟁을 배제함으로써 학습자끼리 [㉡]이(가) 가능해진다. 그러나 단점으로는, 첫째, [㉢]을(를) 설정하기가 곤란하다는 점, 둘째, 경쟁이 없어 학습자들의 외재적 동기를 유발하는 데 한계가 있다는 점을 들 수 있다.

253 참조준거에 따른 분류 ★

김 교사는 학생의 실력 대비 성취 수준에 따라 학습자를 평가하는데 이러한 평가 유형을 [㉠] (이)라 한다. 이 평가 방식은 현재 능력이 낮은 학생에게 노력을 할 유인을 제공하여 [㉡]을 (를) 유발한다는 장점이 있지만, 현재 능력에 대한 판단에 평가자의 주관이 개입되어 평가의 [㉢](이)가 떨어질 수 있다는 단점이 있다.

254 참조준거에 따른 분류 ★★

성장참조평가란 [㉠]을(를) 의미한다. 이러한 평가의 장점 으로는 다음과 같다. 첫째, 특정 시점의 성취 수준을 평가하는 것이 아니라 연속된 시점에서 성취 수준의 향상 정도를 평가함으로써 [㉡]을(를) 평가할 수 있다. 둘째, 학습자로 하여금 성장의 유인을 제공하여 평가 자체가 [㉢]을(를) 지닌다.

255 평가 영역에 따른 유형 ★★★

학습자의 자아개념, 학습 동기 등 정의적 특성을 평가하는 정의적 영역에 대한 평가가 필요한 이유는 학습자에 대한 [㉠]을(를) 가능하게 한다는 점을 들 수 있다. 이때 구체적인 평가방법으로는 첫째, [㉡]을(를) 통한 학습 동기의 정도 파악, 둘째, [㉢]을(를) 통한 학습자의 자아개념 정도 파악 등을 들 수 있다.

04

Answer

249 ㉠ 형성평가 ㉡ 질의응답 ㉢ 쪽지시험
250 ㉠ 교수학습이 완료된 시점에 목표의 달성 여부를 종합적으로 평가 ㉡ 교사가 수업 중 가르친 내용 ㉢ 고차원적 사고
251 ㉠ 경쟁 ㉡ 상대적 위치 ㉢ 외재적 ㉣ 스트레스
252 ㉠ 범위와 수준 ㉡ 상호 협동 ㉢ 최저 목표 수준(성취 수준)
253 ㉠ 능력참조평가 ㉡ 학습동기 ㉢ 신뢰도
254 ㉠ 이전과 비교한 학생의 성장 정도 ㉡ 종합적인 성장의 과정 ㉢ 교육적 효과
255 ㉠ 종합적이고 심층적인 이해 ㉡ 관찰과 면담 ㉢ 체크리스트

256 기타 평가 유형 ★★

학생이 주체가 되는 평가는 교사중심의 평가에서 벗어나 학습자 스스로가 학습의 정도를 평가한다. 학생은 이러한 평가를 통해 스스로 반성하고 자신에게 맞는 학습방법을 모색하게 되는데, 이러한 과정을 통해 학습자는 2022 개정 교육과정에서 강조하는 [㉠] 역량을 함양할 수 있다. 이러한 평가의 구체적인 방법으로는 다음과 같다. 첫째, [㉡](이)다. 학습 후 자신의 학습에 관한 보고서를 작성하거나 스스로 체크리스트를 작성한다. 둘째, [㉢](이)다. 집단 내에서 동료 학습자가 얼마나 기여했는지, 타 집단의 자료가 얼마나 목표에 부합하는지 평가한다.

257 기타 평가 유형 ★

학습자 스스로가 자신 또는 동료의 학습 정도를 평가하는 학생이 주체가 되는 평가의 장점으로는 다음과 같다. 첫째, 스스로 평가하는 과정에서 학습의 가치를 알게 되고 학습의 지속성을 강화하는 [㉠] 동기가 유발된다. 둘째, 개인 간 경쟁이 아닌 개인의 자발적 성찰 과정 중 하나이므로 학습자의 [㉡]이(가) 완화된다. 반면 이 평가의 단점으로는 첫째, 객관적 기준이 아닌 개별적 기준에 따라서 평가하기 때문에 평가의 [㉢]이(가) 저하될 수 있다. 둘째, 학습자의 개별 역량에 따라 평가의 효과가 크게 나타날 수 있다.

258 기타 평가 유형 ★★★

학생이 주체가 되는 평가를 위한 교사의 역할은 다음과 같다. 첫째, 평가의 준비 측면에서 평가의 타당도를 높이면서 학습자의 주체성을 존중하기 위해 [㉠]하여 평가의 기준을 마련한다. 둘째, 평가의 실행 측면에서 평가의 목적과 기준에 맞게 평가가 진행되는지 평가과정을 지속적으로 [㉡]한다. 셋째, 활용의 측면에서 학생평가와 교사평가를 종합하여 총괄적으로 학습자를 평가한다.

259 　기타 평가 유형

역동적 평가란 평가자와 피평가자 간의 [　　　　　⦿　　　　　]을(를) 통해 피평가자의 [　　　　　⦾　　　　　]을(를) 확인하기 위한 평가를 의미한다. 이러한 평가의 장점으로는 다음과 같다. 첫째, [　　　　⦿　　　　] 기능이 극대화된다. 단지 결과 중심의 성취 수준 정도만 확인하는 것이 아니라 평가를 통해서 발달잠재력을 자극할 수 있어 평가의 교육적 기능을 강화할 수 있다. 둘째, 학습자에 대한 종합적 이해를 가능하게 한다. 비가시적이지만 잠재성이 있는 부분을 평가할 수 있어 학습자가 가진 다양한 측면을 평가할 수 있게 한다.

260 　기타 평가 유형

교사와 학생 간 물리적 격리를 전제하는 원격수업 상황에서 학생을 평가하는 경우, 평가의 [　　⦿　　] 문제가 발생할 수 있다. 예를 들어, 학생의 학업 성취 결과물이 실제로 학생이 수행한 것인지, 타인의 도움을 받았는지 알 수가 없어 이에 대한 평가가 정확한가에 대한 의구심이 들 수 있다. 따라서 이를 예방하기 위해 준수해야 하는 원칙으로는 직접성의 원칙을 들 수 있다. 이는 원격수업 상황에서 교사가 [　　　　⦾　　　　]만 평가하고 기록해야 한다는 것으로, 예를 들어 실시간 쌍방향 수업 시 보여주는 학습자의 태도, 학습 결과물에 대해서만 평가를 하는 것을 의미한다.

Answer

256 ⦿ 자기관리 ⦾ 자기평가 ⦿ 동료평가
257 ⦿ 내재적 ⦾ 평가 부담 ⦿ 타당도, 신뢰도
258 ⦿ 학생과 협동 ⦾ 모니터링하고 피드백
259 ⦿ 역동적 상호작용 ⦾ 발달잠재력 ⦿ 학습으로서의 평가
260 ⦿ 공정성 ⦾ 직접 관찰 가능한 것

○ 본책 p.127
○ 빈칸 빠른답안 p.193

261　　문항제작

학습자를 평가할 문항제작 전에 교사가 준비해야 할 사항은 다음과 같다. 첫째, 평가 내용과 범위를 결정한다. 이때 정규 교육과정에 근거하여 교사가 [　　　⑦　　　]만 포함한다. 둘째, [　　　ⓒ　　　] 을(를) 파악한다. 진단평가, 상담 등의 내용을 종합하여 적당한 수준의 문항을 제작하도록 한다. 셋째, [　　　ⓒ　　　]을(를) 구체화한다. 평가의 이유가 학습자 진단인지, 목표 도달도 확인인지, 상대적 위치 확인인지 그 목적을 분명히 한다.

262　　문항제작　　　　　　　　　　　　　　　　　　　　　　　　　　　　★

학교에서 문항을 제작할 때 지켜야 하는 원칙은 다음과 같다. 첫째, 타당성의 원칙이다. 문항의 내용은 평가의 [　　　⑦　　　]와(과) 일치해야 한다. 둘째, [　　　ⓒ　　　]의 원칙이다. 시험 스트레스의 최소화를 위해 학습자 수준에 맞는 난이도로 문항을 제작해야 한다. 셋째, [　　　ⓒ　　　]의 원칙이다. 논란의 여지를 줄이기 위해 단어 및 서술어 선택 등이 정확하고 구체적이어야 한다.

263　　문항제작　　　　　　　　　　　　　　　　　　　　　　　　　　★★

다양한 생각을 유발하는 문항에 대해 학습자가 직접 쓴 글을 평가하는 논·서술형 평가는 암기력보다는 창의력과 같은 고등정신 사고능력을 평가할 수 있다는 장점이 있지만, 단답형이 아닌 글을 평가하는 과정에서 [　　　⑦　　　]이(가) 개입되어 신뢰도가 저하된다는 단점을 지닌다. 따라서 논·서술형 평가의 신뢰도를 높이기 위해서는 다음의 실행방안을 제시할 수 있다. 첫째, [　　　ⓒ　　　](이)다. 피평가자의 정보를 가려 학습자에 대한 편견이 평가에 반영되는 것을 방지할 수 있다. 둘째, 명확한 채점 기준인 [　　　ⓒ　　　]을(를) 마련한다. 채점 방향, 주요 키워드 등을 반영한 채점 기준을 통해 평가자의 불필요한 주관 개입을 최소화한다.

264 문항분석

고전검사이론에서 문항과 검사의 질을 검사 총점에 따라 분석한다. 이 이론에서의 문항난이도란 문항의 쉽고 어려운 정도로서 전체 피험자 중 [㉠   ]의 비율로 나타낸다. 예를 들어 5명 중 4명이 답을 맞힌 경우 문항난이도는 [㉡   ]이(가) 된다. 이 이론에서 언급하는 문항변별도란 [㉢   ]을(를) 나타낸다. 예를 들어 능력이 높은 피험자가 정답에 응답하고, 능력이 낮은 피험자가 오답에 응답하는 경우 문항변별도가 [㉣   ] (라)고 판단한다.

265 문항분석

문항반응이론은 고전검사이론과 달리 문항 하나하나에 근거하여 문항 분석 및 피험자의 능력을 추정한다. 이 이론에 따를 때 문항난이도는 문항특성곡선을 나타낸 그래프에서 정답률을 나타내는 y축의 값이 [㉠   ]일 때 x축에 해당하는 능력의 값이라 할 수 있다. 예를 들어, 1번 문항의 경우 y축이 0.5일때 x축은 −1에 해당하여 비교적 [㉡   ] 난이도의 문항이라고 추정할 수 있다. 다음으로 문항변별도는 문항이 피험자의 능력 수준을 변별하는 정도를 의미하는데, y축이 0.5일 때 문항특성곡선이 갖는 [㉢   ](으)로 변별도를 추정할 수 있다. 예를 들어 3번 문항과 같이 y축이 0.5일 때 기울기가 큰 경우 변별도가 [㉣   ](라)고 추정할 수 있다. 마지막으로 문항추측도는 능력이 전혀 없는 학생이 답을 맞힐 확률을 의미하는데, 능력이 제일 낮을 때 y축의 값으로 문항추측도를 추정할 수 있다. 예를 들어 1번 문항의 경우 문항의 추측도는 약 0.05로 추정할 수 있다.

266 문항분석

규준에 비추어 피험자의 원점수에 대한 상대 서열을 파악하는 점수로 Z점수와 T점수를 활용할 수 있다. Z점수는 원점수에서 평균 점수를 [㉠   ]에 [㉡   ]을(를) 나누어 계산할 수 있는데, 제시문의 상황에서는 원점수는 70, 평균은 60, 표준편차는 10이므로 Z점수는 [㉢   ]이(가) 된다. T점수는 평균을 50, 표준편차를 10으로 설정하여 계산하는데, [㉣   ](으)로 계산된다. 따라서 제시문의 상황에서 T점수는 60이 된다.

Answer
261 ㉠ 직접 가르친 내용 ㉡ 학습자 수준 ㉢ 평가 목적
262 ㉠ 목적 ㉡ 적절성 ㉢ 명확성
263 ㉠ 평가자의 주관 ㉡ 블라인드 평가 ㉢ 루브릭
264 ㉠ 답을 맞힌 피험자 ㉡ 0.8 ㉢ 피험자의 수준을 변별하는 정도 ㉣ 높다
265 ㉠ 0.5 ㉡ 쉬운 ㉢ 기울기 ㉣ 높다
266 ㉠ 뺀 값 ㉡ 표준편차 ㉢ 1 ㉣ 50 + 10Z

267 검사의 양호도

검사목적에 대한 적합성을 나타내는 타당도 중 내용타당도란 검사가 [㉠] 을(를) 판단하는 주관적 타당도를 의미한다. 이때 내용타당도는 크게 2가지로 구분된다. 첫째, [㉡](이)다. 이는 검사가 교수학습 중에 가르치고 배운 내용을 얼마나 잘 포함하는가와 관련된다. 둘째, [㉢](이)다. 이는 검사가 교육과정 내용을 얼마나 잘 포함하는가와 관련된다.

268 검사의 양호도 ★★★

구인타당도란 인간의 심리적 특성과 성질을 심리적 구인으로 분석하여 [㉠] 하고 검사가 심리적 구인을 제대로 측정하였는가를 검증하는 것이다. 따라서 구인타당도를 높이기 위해서는 어떤 것을 심리적 구인으로 분석하는 것이 중요한데, 이때 구체적인 방법으로는 문항에 있는 요인을 상세화하고 의미를 부여하는 [㉡] 을(를) 들 수 있다.

269 검사의 양호도

지문의 장 교사와 같이 새로운 테스트의 타당도를 확인하기 위해 기존에 검증된 테스트를 기준으로 하는 것을 [㉠](이)라고 한다. 이러한 기준을 활용할 때 장점으로는 이미 검증된 테스트와 수치적 비교를 통해 비교적 쉽게 객관적 정보를 확인할 수 있다는 점을 들 수 있다. 하지만 단점으로는 [㉡] 경우 실시가 불가하다는 점을 들 수 있다.

270 검사의 양호도

결과타당도란 검사가 의도한 결과와 의도하지 않은 결과를 얼마나 초래했는지를 확인하고 이에 대해 [㉠]하는 것을 의미한다. 예를 들어 우수한 학생을 선발하려고 한 평가가 의도했던 결과인 학생 선발에 기여했는지를 확인하고, 그 과정에서 의도하지 않게 발생한 [㉡] 을(를) 유발한 것에 대해 적절성 여부 등을 종합적으로 고려하는 것을 의미한다.

271 검사의 양호도 ★

신뢰도가 높은 평가란 평가 결과가 [㉠](이)고 [㉡] 있게 추정되는 평가를 의미한다. 평가의 신뢰도를 측정하기 위해 구 교사는 동일한 검사를 동일한 피험자에게 두 번 실시하는데 이러한 방법을 [㉢](이)라고 한다. 재검사 신뢰도는 한 번만 검사 도구를 제작하면 되므로 효율적이라는 장점이 있지만 시간 간격이 너무 큰 경우 피험자의 [㉣]이(가) 검사 결과에 반영되어 신뢰도가 왜곡될 수 있다는 단점이 있다.

272　　검사의 양호도

동일한 검사를 동일한 피험자에게 시간 간격을 두어 두 번 실시하여 신뢰도를 추정하는 방법을
[　　　　　⑦　　　　　](이)라 한다. 이때 평가 간 시간 간격이 지나치게 짧은 경우 이전에 평가
경험이 이후 평가에 영향을 미칠 수 있는데, 이러한 효과를 [　　⑥　　](이)라 한다. 이는 신뢰도를
왜곡하게 되는데, 이를 방지하기 위해 대신 사용할 수 있는 방법은 다음과 같다. 첫째, 하나의 검사와
난이도, 범위가 유사한 검사를 제작하여 신뢰도를 추정하는데 이를 [　　　　ⓒ　　　　](이)
라 한다. 둘째, 문항 하나하나를 하나의 검사로 간주하여 문항 간 유사성, 일관성을 추정하는데, 이를
[　　　ⓓ　　　](이)라 한다.

273　　검사의 양호도　　　　　　　　　　　　　　　　　　　　　　　　　★★

검사의 양호도로서 객관도란 채점자가 얼마나 주관적 판단을 배제하고 일관성을 유지하며 평가하였는가를
의미하는 것으로 동일한 채점자가 동일한 대상을 두 번 이상 평가하여 평가 결과 간 일관성이 있는지
여부를 판단하는 [　　　　⑦　　　　], 두 명 이상의 채점자가 동일한 대상을 평가하여 평가
결과 간 일관성이 있는지 여부를 판단하는 채점자 간 신뢰도로 구분된다. 이러한 객관도를 확보하기
위한 방안은 다음과 같다. 첫째, [　　⑥　　]을(를) 통해 피험자에 대한 평가자의 편견, 주관 개입을
최소화한다. 둘째, 채점 기준인 [　　ⓒ　　]을(를) 명확하게 작성하고 그에 따라 평가하여 채점자
변동에 상관없이 일정한 평가가 나오도록 한다.

274　　검사의 양호도

검사의 양호도로서 실용도란 검사의 실시가 [　　⑦　　]을(를) 의미한다. 이때 실용도의 판단 기준은
다음과 같다. 첫째, 평가 소요 시간의 적절성이다. [　　　　⑥　　　　] 등을 고려했을 때
평가시간 및 기간이 오래 소요되는 경우 현실적으로 활용하기 곤란하다. 둘째, [　　ⓒ　　]의
충분성이다. 학교의 재정을 고려했을 때 평가 시 과도한 비용이 드는 경우 평가를 실시하기 곤란하다.

Answer

267　⑦ 측정하고자 하는 속성을 제대로 측정하였는지 ⑥ 교수타당도 ⓒ 교과타당도
268　⑦ 조작적으로 정의 ⑥ 요인분석법
269　⑦ 공인타당도 ⑥ 기존에 검증된 검사가 없는
270　⑦ 가치판단 ⑥ 시험 스트레스, 과도한 경쟁
271　⑦ 안정적 ⑥ 일관성 ⓒ 재검사 신뢰도 ⓓ 성장, 성숙
272　⑦ 재검사 신뢰도 ⑥ 기억효과(연습효과) ⓒ 동형검사 신뢰도 추정방법 ⓓ 내적 일관성 신뢰도 추정방법
273　⑦ 채점자 내 신뢰도 ⑥ 블라인드 평가 ⓒ 루브릭
274　⑦ 편리한 정도 ⑥ 교과별 시수, 수업일수 ⓒ 평가 비용

04 수행평가

○ 본책 p.132
○ 빈칸 빠른답안 p.194

---

275 컴퓨터화 검사

제시문에서는 피험자의 반응에 따라 즉각적으로 다른 난이도의 문항이 제시되는데 이러한 평가를 [　　　　⊙　　　　](이)라 한다. 이러한 평가 방식의 장점으로는, 첫째, 반응에 따라 [　　⊙　　]을(를) 제시함으로써 학습자 맞춤형 평가가 가능하다는 점, 둘째, 평가자의 반응마다 다른 문항이 제시되므로 [　　　⊙　　　]을(를) 예방할 수 있다는 점을 들 수 있다. 반면, 이 평가 방식의 단점으로는, 첫째, 반응에 따라 다른 문항이 제시되도록 하는 [　⊙　]이(가) 어렵다는 점, 둘째, 무조건 반응이 요구되고 문제 뛰어넘기가 불가하므로 피험자에게 시험 불안을 발생시킬 수 있다는 점을 들 수 있다.

---

276 수행평가

전통적인 지필평가와 이에 대한 대안으로서 수행평가의 차이점은 다음과 같다. 첫째, 학습관의 측면에서 지필평가는 특정 시점의 지식 습득을 학습으로 보는 반면, 수행평가는 지속적인 학습의 과정에서 지식의 [　　⊙　　]을(를) 학습으로 본다. 둘째, 학습자관의 측면에서 지필평가는 교사에 의해 제시된 문제를 푸는 수동적 학습자를 견지하는 반면, 수행평가는 스스로 [　　　⊙　　　]하는 능동적 학습자를 강조한다. 셋째, 평가 내용의 측면에서 지필평가는 주로 지식, 이해 등과 같은 인지적 영역의 내용을 평가하는 반면, 수행평가는 인지적 영역뿐 아니라 학습동기, 태도 등 정의적 영역의 내용도 평가한다.

---

277 수행평가　　　　　　　　　　　　　　　　　　　　　　　　　　　　★★★

복잡한 문제해결 능력을 함양하기 위해 다양한 방식의 평가를 실시하는 수행평가의 구체적 방법은 다음과 같다. 첫째, [　　⊙　　](이)다. 어떤 문제에 대한 글짓기 등 논·서술형 평가가 이에 해당한다. 둘째, 활동형이다. 실생활 주제와 관련한 [　　　　⊙　　　　] 등이 이에 해당한다. 셋째, 창출형이다. 제작물을 만들거나, 프로젝트 보고서를 제작하여 이를 평가하는 것이 이에 해당한다. 넷째, 학생평가형이다. 평가의 주체가 학생인 평가로서 [　　⊙　　] 등이 이에 해당한다.

278 　수행평가　　　　　　　　　　　　　　　　　　　　　　　★

수행평가 시 구체적인 채점방법은 총괄적 채점방법과 분석적 채점방법으로 구분된다. 제시문의 경우 채점 요소를 세분화하기보다는 학생 수행의 정도를 종합하여 평가하는데, 이와 관련한 채점방법을 　　　㉠　　　 채점방법이라 한다. 이 채점방법은 전반적인 인상 등을 채점하므로 　　　㉡　　　 하다는 장점이 있지만, 전체적 인상에 근거하여 채점하다 보니 상황에 따라 채점결과가 달라져 　　　㉢　　　(이)가 저하된다는 단점이 있다.

279 　수행평가　　　　　　　　　　　　　　　　　　　　　　★★★

수행평가 시 채점방향과 기준을 작성한 루브릭을 설정한다. 루브릭을 설정하는 이유는 명확한 방향과 기준을 근거로 채점하도록 함으로써 평가의 　　　㉠　　　을(를) 제고하여 평가의 신뢰도를 높이기 위함이라 할 수 있다. 루브릭을 설정할 때 교사의 유의점은 다음과 같다. 첫째, 누구라도 쉽게 이해할 수 있도록 　　　㉡　　　 하게 진술한다. 둘째, 유사 정답을 판정할 수 있도록 가장 중요하고 　　㉢　　 에 초점을 두어 서술한다.

280 　수행평가　　　　　　　　　　　　　　　　　　　　　　★★

학생의 수행과정에서 보여주는 다양한 역량을 평가하는 수행평가의 장점은 다음과 같다. 첫째, 결과뿐 아니라 과정을 평가함으로써 학생의 계속적인 성장을 도모하는 교육의 　　㉠　　 기능을 추구할 수 있다. 둘째, 다양한 역량을 평가함으로써 학생에 대한 　　㉡　　 이해를 가능하게 한다. 반면 단점으로는, 첫째, 과정중심의 평가가 　　㉢　　 이(가) 걸릴 수 있다는 점, 둘째, 다양한 역량을 평가하는 　　㉣　　 을(를) 개발하기 어렵다는 점을 들 수 있다.

281　과정중심평가　　　　　　　　　　　　　　　　　　　　　　　　　　★★★

과정중심평가란 [　㉠　]에 도달하기 위한 학습의 과정, 성장의 과정을 중시하는 평가로 과정과 결과를 함께 평가하며 수업 중에 실시하는 평가를 의미한다. 구체적인 과정중심평가 방법으로는 다음과 같다. 첫째, 학습 과정을 교사가 수시로 확인하는 [　㉡　], 둘째, 학습자 스스로 자신의 학습 과정을 성찰하는 [　㉢　], 셋째, 모둠별 학습에서 동료 학생의 기여도, 참여도를 평가하는 동료 평가가 있다.

282　과정중심평가　　　　　　　　　　　　　　　　　　　　　　　　　　★★★

학습이 완료된 시점에 교사가 학습자의 성취 수준을 평가하는 결과중심평가와 비교되는 과정중심평가의 특징은 다음과 같다. 첫째, 교사 중심이 아닌 [　㉠　]중심의 평가를 실시한다. 학습의 주도적인 학습 과정을 관찰하거나, 학습자가 직접 평가한다. 둘째, 학습 중에 일어나는 다양한 역량을 평가한다. 결과 시점의 성취 수준뿐 아니라 성취 수준에 도달하는 과정, 태도 등을 종합적으로 평가한다. 이러한 특징에 따른 장점은 다음과 같다. 첫째, 학습자 중심의 평가를 통해 학습 동기를 부여하여 [　㉡　]을(를) 높인다. 둘째, 과정을 평가함으로써 인지적 영역뿐 아니라 정의적 영역도 평가할 수 있어 학생의 [　㉢　] 성장을 도모할 수 있다.

283　포트폴리오 평가　　　　　　　　　　　　　　　　　　　　　　　　　　★

비교적 장시간 학습자가 수행한 학습 결과물의 모음집을 가지고 평가하는 방식을 [　㉠　](이)라고 한다. 이러한 평가의 장점으로는 다음과 같다. 첫째, 비교적 장시간의 학습 결과물을 관찰할 수 있어 학생의 성장 과정을 확인할 수 있다. 둘째, 학습자가 직접 수행한 결과물의 변화 모습을 평가함으로써 학습자가 평가 결과를 보며 스스로 [　㉡　]할 수 있는 기회를 가질 수 있다.

Answer

281　㉠ 성취기준 ㉡ 교사 관찰 평가 ㉢ 자기평가
282　㉠ 학습자 ㉡ 학습 참여도 ㉢ 전인적
283　㉠ 포트폴리오 평가 ㉡ 반성

교육연구방법론

● **본책** p.135
● **빈칸 빠른답안** p.195

---

284 연구의 유형

교육연구는 크게 양적연구와 질적연구로 구분된다. 양적연구란 현상을 [　　　⑦　　　]하는 연구를 의미하고, 질적연구란 현상이 가지고 있는 심층적 의미를 탐구하는 연구를 의미한다. 교육 현장에서 각각의 연구는 모두 필요성을 가지는데, 양적연구의 경우 교육현상에 관한 수치화를 통해 [　　⑥　　]을(를) 발견하고 공식적인 교육의 전반적 질 향상을 위한 방법을 마련하는 데 필요하다. 또한 질적연구의 경우, 법칙화하기 힘든 학습자의 변화과정을 개별적으로 [　　⑥　　]하기 위해서 필요하다고 할 수 있다.

---

285 연구의 과정

김 교사는 학급 경영과 관련하여 조사 문항을 작성하고 학생들에게 이를 배부하였는데 이러한 자료수집 방법을 [　　　⑦　　　](이)라 한다. 이 방법은 비교적 단시간에 [　　⑥　　]을(를) 파악하기 용이하다는 장점이 있지만, 설문의 [　　⑥　　]이(가) 높지 않아, 당초 계획한 표본 수를 확보하지 못할 수 있다는 단점이 있다.

---

286 연구의 과정　　　　　　　　　　　　　　　　　　　　　　★★

김 교사는 교실 내 학생들의 교우관계를 파악하기 위해 질문지를 통해 학습자가 친한 학생을 작성하게 하였는데, 이러한 방법을 [　　⑦　　](이)라 한다. 이 방법을 활용하는 교사의 유의점은 다음과 같다. 첫째, 교우관계라는 것은 상황과 시점에 따라 [　　⑥　　]이(가) 있으므로 자료 활용 시 참고 자료로만 활용해야 한다. 둘째, 관계에 대한 학생들 간의 주관적 해석이 다르므로 조사 결과는 [　　⑥　　]하여야 한다.

Answer

284 ⑦ 수량화, 객관화 ⑥ 법칙 ⑥ 이해
285 ⑦ 설문조사(질문지법) ⑥ 많은 정보 ⑥ 회수율
286 ⑦ 사회성 측정법 ⑥ 변동성 ⑥ 비공개

287 연구의 과정

평정법 중 A교사의 질문지에서처럼 하나의 질문에 대해 5점 척도로 응답하게 하는 평정법을
[㉠](이)라 한다. 이 척도법은 측정하고자 하는 내용을 간편하게 [㉡]할 수 있다는
장점을 지닌다. 반면, B교사는 형용사를 사용하여 측정 대상에 대한 주관적 느낌을 측정하는데 이를
[㉢](이)라 한다. 이 척도법은 어떤 사건에 대한 주관적인 느낌을 간접적으로 측정하는 데
적합하다는 장점을 지닌다.

288 연구의 타당성 ★

연구의 내적 타당도란 독립변인이 종속변인에 영향을 미친 정도, 즉 [㉠](이)가 명확한 정도를
의미한다. 이때 연구의 내적 타당도를 위협하는 요인과 통제방안은 다음과 같다. 첫째, [㉡]
(이)다. 연구기간이 긴 경우 연구기간 동안 연구대상의 성장, 발달이 있는 경우 내적 타당도를 확보하기
곤란해진다. 따라서 이를 통제하기 위해서 연구기간을 짧게 하는 것을 들 수 있다. 둘째,
[㉢](이)다. 실험집단과 통제집단의 특성이 다른 경우, 연구의 인과관계를 파악하기 곤란하다.
따라서 이를 통제하기 위해서 실험집단과 통제집단을 [㉣]하는 방법을 들 수 있다.

289 연구의 타당성 ★

연구의 외적 타당도란 표본을 통해 얻은 연구 결과의 [㉠] 정도를 의미한다. 외적타당도를
높이기 위해서 [㉡] 있는 표본을 확보하는 것이 중요한데, 이를 위한 구체적인 방법은 다음과
같다. 첫째, 연구 대상을 일반화시키고자 하는 모집단에서 [㉢](으)로 표집한다. 둘째, 일반화
시키고자 하는 집단, 상황, 시기를 명확하게 하고 이것을 반영하여 연구 집단을 계획적으로
[㉣]인 형태로 구성한다.

Answer

287 ㉠ 리커트 척도법 ㉡ 수치화 ㉢ 의미분화척도
288 ㉠ 인과관계 ㉡ 성숙 ㉢ 선발 ㉣ 무작위 배정
289 ㉠ 일반화 ㉡ 대표성 ㉢ 무작위 ㉣ 이질적

최원휘 SELF 교육학
핵심개념 456
모범답안 & 빈칸암기노트

V

교육심리 및
생활지도·상담

학습자에 대한 이해

○ 본책 p.140
○ 빈칸 빠른답안 p.196

290 지능

스피어만의 일반요인이론에 따를 때 지능의 구성요인은 다음과 같다. 첫째, [　　　⊙　　　]
(이)다. 이 요인은 모든 지능을 군림하는 단일한 능력으로서 언어, 수, 정신속도, 주의, 상상 등이 이에
해당한다. 둘째, [　　　ⓛ　　　](이)다. 이 요인은 일반요인 아래 존재하는 특수한 능력
으로서 영역별 지능 검사를 통해 세분화되어 측정된다.

291 지능

카텔은 지능이 성인기 이후에도 발달하는지 여부에 따라 지능을 크게 2가지로 구분한다. 첫째, 유동적
지능은 암기력 등 [　⊙　]에 의하여 발달하는 지능으로 성인기 이후에는 노화에 따라 감퇴한다고
본다. 둘째, [　ⓛ　]은(는) 논리적 추리력, 언어 능력 등 환경 및 경험, 문화적 영향에 의하여
발달하는 지능으로 성인기 이후에도 [　ⓒ　]한다고 본다.

292 지능　　　　　　　　　　　　　　　　　　　　　　　　　　　　　★★

가드너의 다중지능이론에 따를 때 지능이란 문화적으로 [　　　　⊙　　　　]
을(를) 의미한다. 그러면서 가드너는 개인별로 강점 지능이 상이하다고 본다. 제시문의 윤하는 새로운
언어를 습득하고 활용하는 것에 강점을 지니는데, 가드너의 이론에 따르면 윤하의 강점 지능은
[　ⓛ　](이)라 할 수 있다. 또한 가원이는 다른 학생들의 감정을 쉽게 공감하는 것에 강점을
지니는데, 가원이의 강점 지능은 [　ⓒ　](이)라 할 수 있다.

293 지능 ★★

스턴버그는 삼원지능이론을 통해 인간이 어떤 문제를 해결하고 지적으로 행동하기 위한 정보를 모으고 사용하는 것에 초점을 둔다. 이때 지능을 크게 3가지로 구분하는데 지능의 종류와 구성요소는 다음과 같다. 첫째, 분석적 지능이다. 이는 지적인 행동으로서 인간의 정신 과정과 관련된 지능이며 [㉠   ](으)로 구성된다. 둘째, [㉡   ](이)다. 이는 인간의 경험과 관련된 창조적 지능으로, 신기성을 다루는 능력, 정보처리 자동화 능력으로 구성된다. 셋째, 실제적 지능이다. 이는 전통적 지능 검사와 무관한 인간의 실용적인 능력으로서 환경을 [㉢   ] 하는 능력으로 구성된다.

294 창의성 ★★★

창의성이란 [㉠   ](으)로 정의될 수 있다. 창의성의 특성은 다음과 같다. 첫째, 인지적 측면에서 [㉡   ](이)다. 이는 남들이 생각하지 못한 답을 내는 특성을 의미한다. 둘째, 정의적 측면에서 [㉢   ](이)다. 이는 새로운 상황에서도 위축되지 않고 아이디어를 제시하고, 새로운 아이디어를 정련화하려는 태도를 의미한다.

295 창의성 ★★

창의적 사고는 창의적 사고의 중요성을 인지하고, 창의적 사고를 하고 싶은 동기가 유발되는 준비, 창의적 사고를 위해 문제를 이해하고 생각하는 [㉠   ], 창의적 사고가 떠오르는 [㉡   ], 창의적 사고인지 확인하는 검증의 단계를 거친다. 이때 과정별 교사의 역할은 다음과 같다. 첫째, 준비단계에서 교사는 창의적 사고와 관련한 [㉢   ]을(를) 제공하여 창의적 사고를 위한 동기를 유발한다. 둘째, [㉠   ] 단계에서 교사는 문제를 이해하고 방안을 마련할 수 있는 [㉣   ]을(를) 부여하여 창의적 사고가 나타나도록 한다. 셋째, [㉡   ] 단계에서 누구나 자유롭게 생각을 표현할 수 있도록 발표 및 과제 제출의 기회를 부여한다. 넷째, 검증 단계에서 교사는 학습자 스스로 창의적 사고를 검증할 수 있도록 [㉤   ]을(를) 제시하거나 실제 상황에 적용할 수 있는 문제를 제공한다.

Answer

290 ㉠ 일반지능요인(g요인) ㉡ 특수지능요인(s요인)
291 ㉠ 유전적 요인 ㉡ 결정적 지능 ㉢ 꾸준히 발달
292 ㉠ 가치 있는 물건을 창조하거나 문제를 해결할 수 있는 잠재력 ㉡ 언어지능 ㉢ 대인관계 지능
293 ㉠ 메타요소, 수행요소, 지식습득 요소 ㉡ 창의적 지능 ㉢ 선택, 적응, 조성
294 ㉠ 새롭고 적절한 것을 생성해내는 능력 ㉡ 독창성 ㉢ 도전적 태도
295 ㉠ 배양 ㉡ 영감 ㉢ 기본적인 정보, 사례 ㉣ 충분한 시간 ㉤ 검증의 기준

296　창의성　　　　　　　　　　　　　　　　　　　　　　★★★

제시문에서는 창의적 아이디어의 산출을 위해 여러 명의 학생이 자유롭게 토의하도록 하는데, 이와 같은 방식을 [　　　⊙　　　](이)라 한다. 이 방법을 적용할 때 준수해야 하는 원칙은 다음과 같다. 첫째, [　　　ⓛ　　　]의 원칙이다. 누구나 자유롭게 이야기하기 위해서는 아이디어에 대한 평가를 최대한 뒤로 미룬다. 둘째, [　　　ⓒ　　　]의 원칙이다. 브레인 스토밍에서는 새롭고 다양한 아이디어의 표현을 강조하므로 우선 많은 양의 아이디어가 산출되도록 한다. 셋째, [　　　ⓔ　　　]의 원칙이다. 자유롭게 제시된 아이디어를 결합 및 개선하는 과정을 통해 상황에 맞는 적절한 아이디어로 발전시킨다.

297　창의성　　　　　　　　　　　　　　　　　　　　　　★

창의성 함양 방법 중 드 보노의 PMI기법이란 어떤 아이디어에 대해 긍정적·부정적인 면을 살펴보고 마지막으로 [　　　⊙　　　]을(를) 살펴보도록 하는 방법을 의미한다. 이러한 방법은 학생의 [　　ⓛ　　]을(를) 깨뜨리고 다양한 측면에서 사고하도록 한다는 점에서 장점이 있다. 에벌리의 SCAMPER란 질문목록을 제시하고 그것에 따라 새로운 아이디어를 자극하는 방법을 의미한다. 기존의 아이디어를 의도적으로 [　　　ⓒ　　　]하게 해보면서 기존에 없었던 새로운 아이디어를 창출하게 한다는 점에서 장점이 있다.

298　창의성　　　　　　　　　　　　　　　　　　　　　　★★

제시문의 각 교사가 활용하는 창의성 함양 방법과 방법별 장점은 다음과 같다. 첫째, 홍 교사는 6가지 색깔 모자를 쓰고 모자별 사고유형을 표현하게 하는데 이러한 방법을 [　　　⊙　　　] 기법이라 한다. 이 방법은 역할에 따라 해야 하는 사고유형을 제시하는데, 사고에 대한 비판이 있다 하더라도 자아의 손상을 최소화함으로써 [　　　ⓛ　　　]을(를) 가능하게 한다. 둘째, 강 교사는 유추를 통해 친숙한 것을 새롭게 보도록 하는데 이러한 방법을 [　　ⓒ　　] 기법이라 한다. 이 방법은 기존에 있던 고정관념을 깨뜨리고 [　　ⓔ　　] 관점으로 사고하도록 한다.

299 자기주도성 ★★

최근 교육에서 강조되고 있는 자기주도성이란 교육의 전 과정을 [　　　㉠　　　]을(를) 의미한다. 이러한 자기주도성이 중요한 이유는 다음과 같다. 첫째, 개인적 측면에서 개인의 학습에서 무엇이 부족하고 필요한지 인지하게 하고 해야 할 일을 계획·이행하도록 함으로써 학습자의 [　　㉡　　]을(를) 가능하게 한다. 둘째, 사회적 측면에서 복잡하고 급변하는 사회변화에 능동적으로 대응하게 하고 사회에서 필요로 하는 [　　㉢　　](으)로 성장하는 것을 가능하게 한다.

300 자기주도성 ★★★

학습을 스스로 선택하고 결정하는 능력인 자기주도성을 함양하기 위한 방법은 다음과 같다. 첫째, 교육목표 선정의 측면에서 교사는 공식적 교육과정에 부합하면서 학습자의 수준과 흥미를 고려한 여러 목표를 제시하고 이 중 학습자가 자신에게 맞는 목표를 [　　㉠　　]하게 한다. 둘째, 교수방법의 측면에서 교사의 강의식에서 탈피하여 학습자가 스스로 학습을 계획하고 이행하는 [　　㉡　　]와(과) 같은 학습법을 적용한다. 셋째, 교육평가의 측면에서 학습자 스스로가 자신의 학습 과정과 결과를 성찰하는 [　　㉢　　]을(를) 실시한다.

301 자기주도성 ★★★

학습자의 자기주도성 함양을 위한 교사의 실행방안은 다음과 같다. 첫째, [　　㉠　　](이)다. 자기학업계획서 작성, 자기평가 등 자기주도성 함양과 관련한 우수사례, 성공모델을 제시하여 자기주도학습에 대한 학습자의 부담감을 감소시킨다. 둘째, 성취동기의 자극이다. [　　㉡　　]을(를) 제시하고 성공을 경험하게 함으로써 학습에 대한 자신감을 갖도록 한다. 셋째, 메타인지 활용 방법을 가르친다. 스스로 [　　㉢　　]을(를) 작성하거나 체크리스트를 활용한 자기평가를 실시하여 메타인지를 자극하도록 한다.

Answer

296 ㉠ 브레인스토밍 ㉡ 비판적 평가 금지 ㉢ 질 보다 양 중시 ㉣ 결합과 개선을 통한 발전
297 ㉠ 흥미로운 부분 ㉡ 고정관념 ㉢ 대체, 결합, 적용, 수정
298 ㉠ 6색 사고모(six-hat) ㉡ 자유로운 표현 ㉢ 시네틱스(synetics) ㉣ 새로운
299 ㉠ 자발적 의사에 따라 스스로 선택하고 결정하는 능력 ㉡ 주체적 성장 ㉢ 주도적 인재
300 ㉠ 선택 ㉡ 프로젝트 학습 ㉢ 자기평가
301 ㉠ 모델링 ㉡ 학습자 수준에 맞는 과제 ㉢ 학업계획서

302 학습자의 개인차 ★

위트킨은 학습자의 인지과정에서 외적인 장에 의해 영향을 받는 정도에 따라 학습자의 학습양식을 장독립형과 장의존형으로 구분하였다. 각각의 특징으로는 첫째, 장독립형의 학습자는 ┌──── ㉠ ────┐ 학습 내용을 혼자서 학습하면서 성취하는 것을 선호한다. 둘째, 장의존형의 학습자는 전체적·통합적으로 제시된 학습 내용을 ┌──── ㉡ ────┐ 학습하는 것을 선호한다. 따라서 학생별 동기유발 전략은 다음과 같다. 첫째, 장독립형 학습자에게는 독립적으로 학습할 수 있는 환경을 마련하고, 목표 성취를 확인할 수 있는 ┌──── ㉢ ────┐ 등을 통해 동기를 유발한다. 둘째, 장의존형 학습자에게는 타 학생과 함께 학습할 수 있는 환경을 마련하고 동료나 교사로부터의 ┌──── ㉣ ────┐ 등을 통해 동기를 유발한다.

303 학습자의 개인차

학습자의 학습 유형을 구분하기 위해 콜브가 사용한 기준은 다음과 같다. 첫째, ┌──── ㉠ ────┐(이)다. 정보를 타 학생과 함께하는 구체적 경험을 통해 지각하는 것을 선호하는지, 학습자 혼자서 추상적 개념화를 통해 지각하는 것을 선호하는지에 따라 학습자를 구분한다. 둘째, 정보처리방식이다. 정보를 처리하기 전에 주의 깊게 살피고, 다양한 관점을 고려하면서 반성적으로 ┌──── ㉡ ────┐하는지, 실험, 실습 등을 통해 정보를 직접 적용해보는 ┌──── ㉢ ────┐을(를) 선호하는지에 따라 학습자를 구분한다. 이러한 기준에 따를 때 제시문의 준영이는 친구들과 어울리기보다는 혼자서 개념화를 통해 정보를 지각하고, 직접 부딪혀가면서 활동적으로 정보를 처리하는 것을 선호하므로 ┌──── ㉣ ────┐ 학습유형을 가진 학습자라고 분석할 수 있다.

304 학습자의 개인차

학습자에게 영향을 미치는 사회경제적 지위란 사회에서 부모의 수입, 직업, 교육 수준 등에 의해 결정되는 가족의 ┌──── ㉠ ────┐을(를) 의미한다. 이를 고려한 교육을 실시할 때 교사의 실행방안은 다음과 같다. 첫째, ┌──── ㉡ ────┐을(를) 통해 학습자가 갖는 사회경제적 지위를 확인하고 맞춤형 교육을 위한 기초자료로 활용한다. 둘째, ┌──── ㉢ ────┐을(를) 통해 사회경제적 지위로 인한 학습 결손을 확인하거나 학생이 갖는 심리적 문제를 분석하고 이에 맞는 대안을 마련한다.

305 학습자의 개인차

지능, 창의성, 문제해결 능력 등이 뛰어난 학습자를 대상으로 하는 영재교육의 방법은 빠르게 공식적 교육과정을 이수하는 속진학습과 공식적 교육과정보다 심화된 내용을 배우는 심화학습으로 구분된다. 이때 방법별 장단점은 다음과 같다. 첫째, 속진학습은 월반 등을 통해 [㉠   ]이 (가) 가능하다는 장점이 있지만, 빠른 지식습득 중심으로 교육이 이루어져 [㉡   ] 을(를) 함양하는 데 단점이 있다. 둘째, 심화학습은 지식 활용, 창출 등 고차원적 사고 기능을 습득하는 데 장점이 있지만, 심화학습을 위한 프로그램을 개발하거나 적합한 교사를 [㉢   ] 하는 데 어려움이 있다는 단점이 있다.

306 학습자의 개인차

주의력결핍 과잉행동장애를 갖는 학생들이 보이는 기본적인 특성은 다음과 같다. 첫째, 주의력결핍이다. 타인에 이야기에 집중하지 못하거나 과업 내용, 지시 내용에 대한 [㉠   ]이(가) 자주 일어난다. 둘째, 과잉행동이다. 수업 중 계속 움직이거나, 생각보다는 행동을 우선시하고, [㉡   ]이(가) 부족하다. 이러한 학생들을 위한 교육방법은 다음과 같다. 첫째, 주의력을 높이기 위해서 교사 가까이에 학생을 배치하고, 수시로 호명해주어 [㉢   ]을(를) 확인시켜주는 방법을 제시할 수 있다. 둘째, 과잉행동을 줄이기 위해서 행동하기 전에 [㉣   ] 작성 등을 활용할 수 있다.

Answer

302 ㉠ 분석적인 ㉡ 동료와 함께 ㉢ 시험 ㉣ 칭찬 / 보상
303 ㉠ 정보지각방식 ㉡ 성찰 ㉢ 활동적 실험 ㉣ 수렴형
304 ㉠ 상대적 위치 ㉡ 가정환경 조사서 ㉢ 학생 상담
305 ㉠ 효율적인 교육 ㉡ 고등정신 사고능력 ㉢ 매칭 / 선정
306 ㉠ 망각 ㉡ 인내심 ㉢ 과업 ㉣ 행동계획표

● 본책 p.146
● 빈칸 빠른답안 p.197

307 동기이론의 기초

불안이란 불확실한 결과에 대한 불편한 감정을 의미한다. 이때 제시문의 세희처럼 일반적 시험에 대해서는 불안이 없지만 특정 과목, 특정 파트에 대해서만 느끼는 불안의 명칭을 [㉠   ](이)라 한다. 이러한 불안이 적정한 경우 적절한 긴장을 유발하여 [㉡   ](이)가 높아지고 학습을 촉진한다는 순기능을 가지고 있지만, 불안이 과도한 경우 스트레스로 인해 [㉢   ]을(를) 떨어뜨린다는 역기능을 가지고 있다.

308 동기이론의 기초 ★★★

학습자의 동기는 크게 내재적 동기와 외재적 동기로 구분된다. 이 중 내재적 동기는 [㉠   ]에 흥미가 있는 동기로서 학습에 대한 주도성, 주의집중을 통해 유발된다. 이러한 동기는 외적인 칭찬, 보상이 없어도 스스로 학습에 대해 의미를 부여하므로 [㉡   ]을(를) 확보시켜준다는 점에서 중요성을 가진다. 내재적 동기를 유발하기 위한 전략은 다음과 같다. 첫째, 학업 성취에 대해 학습자의 역할을 강조하는 [㉢   ] 피드백을 통해 학습의 통제권과 책임감을 부여한다. 둘째, 적절히 도전감 있는 과제를 제시함으로써 학습자에게 [㉣   ]을(를) 발생시킨다.

309 행동주의 동기이론

헐의 행동주의 동기이론에서는 모든 행동이 욕구를 충족시키기 위한 방향으로 이어진다고 본다. 따라서 행동의 강도를 결정짓는 요소는 다음과 같다. 첫째, [㉠   ](이)다. 이는 욕구와 관련된 것으로 어떤 것에 관한 욕구가 있는 경우 행동의 강도가 커진다. 둘째, [㉡   ](이)다. 이는 욕구가 충족된 상황에 대한 가치의 정도로서 동일한 욕구에도 그 욕구가 주는 의미가 개인에게 큰 경우 행동의 강도가 커진다.

310 인본주의 동기이론

매슬로우는 욕구위계이론을 통해 인간의 욕구를 중요도에 따라 단계화한다. 이때 크게 성장욕구와 결핍욕구로 욕구를 분석하는데, 둘 간의 차이점은 다음과 같다. 첫째, 충족의 방향 측면에서 결핍욕구는 ⃞ ㉠ ⃞ 에 의해 충족되는 반면, 성장욕구는 자신의 내부에 의해서만 충족된다. 둘째, 충족의 정도 측면에서 결핍욕구는 완전한 충족이 ⃞ ㉡ ⃞ 하지만 성장욕구는 완전한 충족이 불가능하다. 한편 결핍욕구는 세부적으로 4가지 욕구로 구분된다. 제시문의 연진이의 경우 친구들과 사귀고 싶어하는 욕구를 가지고 있는데 이러한 욕구를 ⃞ ㉢ ⃞ (이)라 한다. 동은이의 경우 친구들 앞에서 인정받고 싶어하는 욕구를 가지고 있는데 이러한 욕구를 ⃞ ㉣ ⃞ (이)라 한다.

311 인지주의 동기이론　★★

와이너는 학습의 성공과 실패의 원인을 무엇에 귀속시키는지에 따라 동기가 변화한다는 귀인이론을 제시한다. 이 이론에서 제시하는 귀인분석의 기준과 이에 따라 주형이가 제시한 시험 실패 원인을 분석하면 다음과 같다. 첫째, 원인의 소재이다. 이는 성공과 실패의 원인이 학습자 내부 요인인지 외부요인인지를 분석하는 것으로, 주형이가 실패의 원인으로 제시한 층간소음은 학습자 ⃞ ㉠ ⃞ 이(가) 된다. 둘째, 안정성이다. 이는 시간과 변동에 따라 원인이 변동하는지 여부로서 층간소음은 언제든 변화할 수 있어 ⃞ ㉡ ⃞ (이)다. 셋째, 통제가능성이다. 이는 학습자의 의지에 따라 상황을 제어할 수 있는지 여부로서 층간소음은 주형이가 ⃞ ㉢ ⃞ 요인이다.

Answer

307 ㉠ 상태 불안 ㉡ 주의집중도 ㉢ 학습동기
308 ㉠ 학습 그 자체 ㉡ 학습의 지속성 ㉢ 정보적 ㉣ 도전 의식
309 ㉠ 추동 ㉡ 습관 강도
310 ㉠ 외부 / 타인 ㉡ 가능 ㉢ 사회적 욕구 ㉣ 존재의 욕구
311 ㉠ 외부 요인 ㉡ 불안정적 ㉢ 통제 불가능한

312 인지주의 동기이론 ★

지은이를 위한 귀인훈련 전략은 다음과 같다. 첫째, [㉠](이)다. 우선 한 번도 제대로 노력해 본 적이 없는 지은이에게 실패의 원인을 노력으로 귀인하여 다음 시험에는 노력을 기울이게 한다. 둘째, 전략귀인이다. 체계적 공부를 해본 적이 없는 지은이가 많은 노력을 해도 시험에 실패한 경우 [㉡]이(가) 잘못되었음을 알려주어 이를 수정하게 한다. 셋째, 포기귀인이다. 노력과 전략 수정에도 불구하고 지은이가 시험에 실패하면 학습자의 기대 자체를 수정하거나 [㉢]을(를) 모색하게 한다.

313 인지주의 동기이론 ★★

자아효능감이란 [㉠]을(를) 의미한다. 이때 자아효능감에 영향을 미치는 요인으로는 다음과 같다. 첫째, 과거의 [㉡](이)다. 유사한 과제를 성공한 경험이 있으면 학습자가 자신감을 가지고 학습에 임하도록 한다. 둘째, [㉢](이)다. 학습자와 유사한 능력을 가진 학습자가 과제를 성공한 사례를 보여주며 학습자가 보다 쉽게 학습에 참여하도록 유도한다. 셋째, 언어적 설득이다. 학습자의 능력에 대해 교사가 칭찬함으로써 자신감을 가질 수 있다.

314 인지주의 동기이론 ★★★

데시와 라이언의 자기결정성이론에서는 3가지 기본욕구가 충족되면 인간에게 [㉠]이(가) 발생하고 그럼으로써 학습 동기가 유발된다고 본다. 이때 충족되어야 하는 3가지 욕구는 다음과 같다. 첫째, 유능성 욕구이다. 이는 자신이 유능한 사람이라고 믿는 지각으로서 과제의 [㉡]을(를) 통해 충족될 수 있다. 둘째, [㉢] 욕구이다. 이는 타인과 좋은 관계를 맺고자 하는 욕구로서 협동적 문제해결 과정을 통해 충족될 수 있다. 셋째, 자율성 욕구이다. 이는 스스로 결정하고 행동하려는 욕구로서 자신에게 맞는 과제를 [㉣]하고 조절할 수 있는 권한을 부여했을 때 충족될 수 있다.

315 인지주의 동기이론

코빙턴은 자기가치이론을 통해 인간에게는 누구나 자신을 보존하려는 욕구가 있고 이를 충족시키는 과정에서 행동이 유발된다고 본다. 이때 실패가 발생했거나 예견되는 상황에서 자기가치를 보존하기 위해 자기장애 전략을 사용한다고 본다. 구체적 자기장애 전략으로는 첫째, 언어적 자기장애 전략이다. 이는 실패의 원인에 대해 [㉠   ]하는 전략을 의미한다. 둘째, 행동적 자기장애 전략이다. 이는 [㉡   ]을(를) 설정함으로써 실패를 외적 요인으로 귀인하는 것을 의미한다. 한편 자기가치를 증진하기 위한 방안으로는 다음과 같다. 첫째, 올바른 [㉢   ]을 (를) 안내한다. 성공과 실패에 대해 학습자가 통제할 수 있는 노력에 귀인하도록 한다. 둘째, 평가에 대한 [㉣   ]을(를) 강화한다. 시험 실패가 단지 능력에 대한 절대적 증명이 아니라 추후 성공을 위한 과정임을 안내하여 학습자의 성장 가능성을 존중한다.

316 인지주의 동기이론 ★★

어떤 목표를 설정하느냐에 따라 동기가 변화한다는 목표지향이론에 따를 때 주연이와 창훈이가 갖는 목표의 유형과 해당 목표가 학습에 미치는 영향은 다음과 같다. 첫째, 주연이는 과제의 가치에 따라 목표를 설정하는데, 이러한 목표를 [㉠   ](이)라고 한다. 이러한 목표는 학습자가 학습과제의 가치를 파악하고 이를 통해 스스로 설정한 목표로서 높은 학습 동기 유발로 이어진다. 둘째, 창훈이는 타인과 비교해서 유능함을 느낄 수 있도록 목표를 설정하는데, 이러한 목표를 [㉡   ] (이)라 한다. 이러한 목표는 타인과의 비교에 초점을 둔 목표로서, 비교가 곤란한 도전적 목표, 창의적 목표를 가진 학습을 하는 데 부정적 영향을 미칠 수 있다.

Answer

312 ㉠ 노력귀인 ㉡ 학습방법이나 전략 ㉢ 새로운 길
313 ㉠ 어떤 과제를 성공적으로 실행하는 자신의 능력에 대한 지각 ㉡ 성공경험 ㉢ 모델링
314 ㉠ 자기결정력 ㉡ 성공 경험 ㉢ 관계성 ㉣ 선택
315 ㉠ 다양한 핑계를 들어 변명 ㉡ 비현실적 목표 ㉢ 귀인 설정 ㉣ 환류(피드백)
316 ㉠ 숙달목표 ㉡ 수행접근목표

317 인지주의 동기이론 ★

성취동기이론에서 말하는 성취동기란 [　　　　　　⑦　　　　　　]을(를) 의미한다. 성취동기가 낮은 사람은 과업 실패 시 수치심을 느끼므로 아주 쉬운 과제를 선택하거나, 실패 시 [　　⑥　　]에 귀인하여 수치심을 줄이기 위해 아예 아주 어려운 과제를 선택한다. 반면, 성취동기가 높은 사람은 과업 성공에 자신감이 있고 실패 시 [　　⑥　　]에 귀인하므로 자신의 수준보다 조금 더 어려운 과제를 선택한다.

318 인지주의 동기이론 ★★

앳킨스는 기대와 가치에 따라 행동이 변화한다고 본다. 이때 기대란 성공에 대한 기대를 의미하는 것으로 목표가 [　　⑦　　](이)고, 과제의 난이도가 적절하며, 과거의 성공 경험이 있는 경우 기대가 높아진다. 가치란 과제의 가치를 의미하는 것으로 과제가 [　　⑥　　](이)거나, 과제 자체가 [　　⑥　　] 경우 가치가 높아진다.

319 인지주의 동기이론

제시문의 상황처럼 지속적으로 실패에 노출되는 경우 노력을 통해 극복한 상황에서도 쉽게 포기하는 상황을 [　　　⑦　　　](이)라 한다. 이를 극복하기 위한 방안은 다음과 같다. 첫째, [　　⑥　　]을(를) 주기 위해 달성하기 쉬운 과제부터 시작하여 점차적으로 과제의 난이도를 높인다. 둘째, 단계적 귀인훈련 프로그램을 제시한다. [　　　⑥　　　]을(를) 통해서 학습자에게 학습의 통제권을 부여한다.

Answer

317 ⑦ 도전적이고 어려운 과제를 성공적으로 수행하려는 욕구 ⑥ 과제 난이도 ⑥ 노력
318 ⑦ 구체적 ⑥ 실용적 ⑥ 흥미로운
319 ⑦ 학습된 무기력 ⑥ 성공기회 ⑥ 노력−전략−포기 귀인

03 학습자의 발달

◎ **본책** p.150
◎ **빈칸 빠른답안** p.198

320 　발달에 대한 이해　　　　★

브론펜브레너는 생태이론을 통해 아동에 영향을 주는 환경의 개념을 확장한다. 이 이론에 따를 때 한승이의 발달에 영향을 미친 체계는 다음과 같다. 첫째, [　　⊙　　](이)다. 이는 아버지와의 관계처럼 아동과 직접적으로 상호작용하는 환경을 의미한다. 둘째, [　　ⓛ　　](이)다. 아버지가 학부모 위원으로서 학교에 참여하는 것과 같이 미시체계 간의 상호작용을 의미한다. 셋째, [　　ⓒ　　](이)다. 아버지의 육아휴직을 보장하는 법과 같이 아동이 속해 있는 사회의 가치, 법률, 관습 등을 의미한다.

321 　인지적 영역의 발달

학습자의 인지구조 변화를 강조하는 피아제의 인지발달이론에 따르면 인지발달은 다음의 과정을 거쳐 나타나게 된다. 첫째, 학습자가 새로운 환경에 놓이게 되면서 기존에 가진 학습자의 [　　⊙　　]와 (과) 충돌이 일어난다. 둘째, 이러한 충돌을 해소하기 위해 학습자는 [　　ⓛ　　]을(를) 통해 기존 도식을 변화시킨다. 셋째, 도식이 변화하는 과정에서 [　　ⓒ　　]의 발달 정도에 따라 인지발달이 일어난다.

322 　인지적 영역의 발달　　　　★

피아제의 인지발달이론에서는 아동의 발달과정을 감각운동기, 전조작기, 구체적 조작기, 형식적 조작기로 구분한다. 이때 형식적 조작기의 아동이 가지는 사고는 다음과 같다. 첫째, [　　⊙　　](이)다. 속담의 속뜻과 같이 눈에 보이지 않는 추상적인 개념, 개념 간의 관련성을 이해할 수 있다. 둘째, [　　ⓛ　　](이)다. 문제에 대해 가설을 설정하고 가설을 검증하기 위해 자료를 수집할 수 있다. 셋째, [　　ⓒ　　](이)다. 습득한 정보를 기초로 그동안 경험하지 않았던 부분이라도 추론할 수 있다.

Answer

320 ⊙ 미시체계 ⓛ 중간체계 ⓒ 거시체계
321 ⊙ 도식 ⓛ 적응과 조직 ⓒ 조작
322 ⊙ 추상적 사고 ⓛ 가설연역적 추리 ⓒ 반성적 추상화

323 인지적 영역의 발달 ★★

비고츠키의 인지발달이론에서는 사회적 상호작용을 통해 근접발달영역에 있는 내용을 학습할 수 있다고 본다. 이때 근접발달영역이란 혼자서는 해결할 수 없지만 [㉠   ]을 (를) 의미한다. 이 영역의 학습 내용을 학습하기 위해 비계설정을 강조하는데, 비계설정의 구체적 유형은 다음과 같다. 첫째, [㉡   ](이)다. 교사가 직접 시범을 보이거나 성공 사례를 보여줌으로써 비경험에 따른 불안감을 제거시켜 준다. 둘째, [㉢   ](이)다. 문제를 해결하기 위해 교사가 생각한 과정을 말로 표현하게 함으로써 학생들의 사고 방향을 정확하게 안내한다. 셋째, [㉣   ](이)다. 최종적 학습 목표를 달성하기 위하여 학습자의 수준에 따라 단계별 중간목표를 설정하고 단계적으로 과제를 제시하고 목표를 달성하도록 한다.

324 성격 발달

인간의 무의식을 강조하는 프로이드의 심리성적 발달이론에서는 성격이 다음과 같이 구성되어 있다고 본다. 첫째, 원초아다. 이는 태어날 때부터 가지고 있는 정신 에너지의 저장고로서 쾌락과 같은 [㉠   ]와(과) 관련 있다. 둘째, [㉡   ](이)다. 이는 원초아의 욕구를 통제하면서 바람직한 방법으로 욕구를 충족시킬 수 있도록 방법을 찾고 계획을 수립하는 것과 관련 있다. 셋째, [㉢   ](이)다. 이는 무엇이 옳고 그른지에 대해 판단하게 하는 원천으로서 사회적 가치와 도덕과 관련 있다. 한편 프로이드의 이론에 따를 때 성격은 인간의 성적 에너지인 [㉣   ](이)가 신체 특정 부위에 집중되면서 욕구가 발현되고, 그 욕구가 충족되었는지 여부에 따라 발달의 정도가 달라진다고 본다.

325 성격 발달 ★

에릭슨은 생애주기별로 경험하는 [㉠   ]을(를) 해결하는 과정에서 성격이 발달한다고 본다. 중·고등학생 나이에 해당하는 발달단계는 [㉡   ](으)로서 급격한 신체 변화에 정신적 성장이 따라가지 못하면서 심리사회적 위기를 경험하게 된다. 이 단계에서의 특징으로는 첫째, 내가 누구인지 스스로 탐색하는 과정을 거치면서 어떤 성인으로 성장해야 할지 [㉢   ]을(를) 형성한다. 둘째, 이전 단계에서 경험했던 심리사회적 위기가 [㉣   ] 되는데, 이를 해결하지 못하는 경우 역할 혼미에 빠지게 된다.

326 　성격 발달　　　　　　　　　　　　　　　　　　　　　　　　★★★

에릭슨의 성격발달이론을 발전시킨 마샤의 이론에 따르면 학생의 정체성 상태를 판별하는 기준은 다음과 같다. 첫째, 과업에 대한 [　　　㉠　　　] 여부이다. 학생이 현재 어떤 일에 몰두하고 있는지에 따라 정체성의 상태가 결정된다. 둘째, 정체성과 관련한 [　　　㉡　　　]경험 여부이다. 학생이 정체감을 갖기 위해 고민하고 노력하고 있는지에 따라 정체성의 상태가 결정된다. 제시문의 경훈이는 자신의 꿈과 끼를 찾기 위해 고민하면서 위기를 경험하고 있지만, 아직 무엇을 할지 결정하지 못해 과업에 전념을 하고 있지는 않다. 따라서 마샤의 이론에 따르면 경훈이의 정체성 지위 상태는 [　　　㉢　　　]에 해당한다.

327 　사회성 발달　　　　　　　　　　　　　　　　　　　　　　　　★

사회성이란 [　　　　　　　　㉠　　　　　　　　]와(과) 같이 사회 속에서 타인과의 공동생활에 잘 적응하는 개인의 소질이나 능력이라 할 수 있다. 사회성 발달에 영향을 미치는 요인은 다음과 같다. 첫째, [　　　㉡　　　](이)다. 부모와의 상호작용을 통해 기본적인 의사소통 능력 등을 습득하게 된다. 둘째, 또래 집단이다. 또래와의 공동활동을 통해 [　　　㉢　　　]을(를) 함양하게 된다. 셋째, 교사이다. 교사의 지시와 통제를 받으면서 [　　　㉣　　　]의 필요성을 학습하게 된다.

328 　사회성 발달

셀만이 제시한 사회적 조망수용능력이란 [　　　　　　　㉠　　　　　　　]을(를) 의미한다. 셀만은 사회적 조망수용능력이 발달하는 정도를 크게 5단계로 구분한다. 제시문의 주희의 경우, 자신의 입장을 명확히 하면서도 동시에 재현이의 입장을 입장을 이해하는데, 이렇게 동시 상호적으로 자기와 타인의 행동을 이해하는 단계를 [　　　㉡　　　] 조망수용 단계라 한다.

Answer

323 ㉠ 교사의 지도, 동료와의 협동을 통해 성공적으로 문제를 해결할 수 있는 영역 ㉡ 모델링 ㉢ 소리 내어 생각하기 ㉣ 수업자료 조정하기
324 ㉠ 본능적 충동 ㉡ 자아 ㉢ 초자아 ㉣ 리비도
325 ㉠ 심리사회적 위기 ㉡ 정체감 대 역할 혼미 ㉢ 자아정체감 ㉣ 반복
326 ㉠ 전념 ㉡ 위기 ㉢ 정체성 유예
327 ㉠ 의사소통능력, 공동체 의식, 준법의식 ㉡ 가정환경 ㉢ 협동심 / 포용성 ㉣ 규범
328 ㉠ 타인의 입장에서 자신의 행동을 바라보면서 타인의 의도, 태도, 감정 등을 추론하는 능력 ㉡ 상호적

329   도덕성 발달   ★

콜버그는 [　　ⓒ　　] 상황을 제시하고 이 상황에서 어떤 행동을 왜 하는지에 따라 발달 순서를 3수준
6단계로 구분한다. 이 이론이 주는 의의로는 첫째, 딜레마 상황에 대해 토의·토론하는 과정을 제시함
으로써 [　　　　ⓛ　　　　] 의 중요성을 제시했다는 점, 둘째, 딜레마에 대한 학습자의 반응을
분석하면서 도덕성 발달 수준을 비교적 명확하게 점검할 수 있다는 점을 들 수 있다. 반면 이 이론의
한계로는, 첫째, 한 학생의 반응이 단계별로 명확하게 구분되기보다는 여러 단계에 걸쳐서 나타날 수
있다는 점, 둘째, 타인과의 관계를 중시하는 여성을 남성보다 낮은 단계라고 가정하여 [　　ⓒ　　]
적인 요소가 있다는 점을 들 수 있다.

330   도덕성 발달

길리건은 기존의 도덕성 발달이론들이 남성중심적인 기존 윤리관에 근거한다고 보았다. 따라서 인간의
도덕성 발달 여부를 판단하는 데 있어서 새로운 기준을 제시하는데, 그 기준은 학습자가 가지는 타인에
대한 [　　ⓒ　　] 의 유무이다. 이러한 기준에 의해 도덕성 발달 단계를 3수준 2전환기로 제시한다.
즉, 자기만을 생각하다가(1수준), 점차 [　　ⓛ　　] 을(를) 느끼게 되면서(1전환기) 자기희생으로서
선을 강조하고(2수준) 이후 진실을 추구하는 과정(2전환기)을 거쳐 [　　ⓒ　　] (3수준)을(를) 갖는다고
본다.

04 교수학습의 이해

◐ **본책** p.154
◐ **빈칸 빠른답안** p.198

---

331   행동주의 학습이론   ★

행동주의 학습이론에서는 강화를 통해 행동을 [㉠] 시킬 수 있다고 본다. 이때 강화의 유형은 다음과 같다. 첫째, [㉡] (이)다. 이는 어떤 행동에 대해 좋은 결과를 제공하는 것으로, 과제를 하면 칭찬을 하는 것을 예로 들 수 있다. 둘째, 부적 강화이다. 이는 싫어하는 것을 [㉢] 하여 행동을 증가시키는 것으로, 과제를 정해진 시간 내에 제출하면 화장실 청소를 면제해 주는 것을 예로 들 수 있다. 한편 강화 시 고려사항으로 프리맥의 원리를 들 수 있다. 이 원리란 학습자가 안 좋아하는 행동을 강화할 필요가 있는 경우, [㉣] 을(를) 통해 안 좋아하는 행동을 유발하는 것이라 할 수 있다.

---

332   행동주의 학습이론   ★

꾸중과 같은 벌을 제공하거나, 좋아하는 것을 제거하는 처벌은 바람직하지 않은 행동을 [㉠] 한다는 점에서 교육적 순기능을 가지나, 학습자에게 [㉡] 을(를) 유발하여 정서 발달에 악영향을 줄 수 있다는 점에서 역기능을 갖는다. 따라서 처벌 시 교사의 유의점으로는 다음과 같다. 첫째, 바람직하지 않은 행동을 바로 교정하기 위해서 [㉢] 에 처벌을 하도록 해야 한다. 둘째, 처벌이 주는 부정적 효과를 최소화하기 위해 처벌을 하면서 바람직하지 않은 행동에 대한 [㉣] 을(를) 제시해줘야 한다.

---

333   행동주의 학습이론

학습자에 대한 직접적인 강화와 벌 없이 관찰을 통해 행동을 변화시킬 수 있다는 관찰학습에서는 모델링이 발생하는 과정을 다음의 4단계로 제시한다. 첫째, [㉠] (이)다. 학습자가 모델의 행동에 관심을 갖는다. 둘째, [㉡] (이)다. 관찰한 모델의 행동이 언어화, 시각화되어 학습자의 머릿속에 저장된다. 셋째, [㉢] (이)다. 저장된 모델의 행동을 학습자가 그대로 시연한다. 넷째, [㉣] (이)다. 재생한 행동에 대해 강화를 기대한다.

Answer

331   ㉠ 증가 ㉡ 정적 강화 ㉢ 제거 ㉣ 좋아하는 행동
332   ㉠ 교정(소거) ㉡ 스트레스 / 공포심 ㉢ 행동 직후 ㉣ 대안
333   ㉠ 주의집중 ㉡ 파지 ㉢ 재생산 ㉣ 동기화

334 인지주의 학습이론

톨먼은 잠재학습이론을 통해 학습은 행동상의 변화라기보다는 인지구조상의 변화라고 본다. 인지구조상의 변화란 주요 내용들이 그림 또는 지도와 같은 형태로 머릿속에 표상화되는 것으로 이에 대해 ⬚ ㉠ ⬚(이)가 형성되었다고 본다. 이 이론은 학습이 반드시 가시적인 행동변화가 나타났을 때만 이뤄지는 것이 아니라 눈에 보이지 않는 인지상의 변화, 즉, ⬚ ㉡ ⬚(으)로 나타날 수 있다는 점을 시사한다.

335 인지주의 학습이론 ★★

정보를 지각하고 이해하고 기억하는 과정을 설명한 정보처리이론에 따르면 부호화는 새로운 정보를 학습자에 맞게 표상화하면서 장기기억으로의 ⬚ ㉠ ⬚을(를) 돕는 역할을 한다. 이러한 부호화를 촉진하는 방법은 다음과 같다. 첫째, ⬚ ㉡ ⬚(이)다. 새로운 정보와 이미 장기기억에 저장된 기존 정보를 연결시킨다. 둘째, ⬚ ㉢ ⬚(이)다. 새로운 정보들이 여러 가지인 경우 공통 범주로 묶어서 기존 정보와 연결한다. 셋째, ⬚ ㉣ ⬚(이)다. 새로운 정보를 텍스트가 아닌 그림으로 표상화하여 기억한다.

336 인지주의 학습이론

장기기억에 저장된 정보를 작업기억으로 이동시키는 인출의 종류로는 첫째, ⬚ ㉠ ⬚(이)다. 어떠한 단서나 도움이 제공되지 않은 상태에서 학습자가 머릿속에 있는 정보를 인출하는 것을 의미한다. 둘째, ⬚ ㉡ ⬚(이)다. 단서나 도움이 제공되고 이를 바탕으로 인출하는 것을 의미한다. 이러한 인출을 촉진하기 위한 전략으로는 다음과 같다. 첫째, ⬚ ㉢ ⬚을(를) 제공한다. 질문 즉시 인출이 나오지 않는 경우라도 생각할 시간을 충분히 제공한다. 둘째, ⬚ ㉣ ⬚의 기회를 제공한다. 인출이 필요한 내용의 제목, 주제 등을 제시하거나, 요약문을 빠르게 훑어보게 함으로써 상세 내용을 인출할 수 있도록 돕는다.

337   인지주의 학습이론   ★★★

개인의 인지처리 과정을 스스로 통제하기 위해 메타인지를 활용할 수 있다. 메타인지란 인지과정 전체를
[㉠   ]하는 정신활동을 의미한다. 이러한 메타인지를 향상시키는 교수방법은
다음과 같다. 첫째, 메타인지의 중요성에 대해 설명해주고 인지과정에 대해 교사가 [㉡   ]을
(를) 보여준다. 둘째, 학습자 스스로 학습을 점검할 수 있도록 [㉢   ]을(를) 제공한다. 셋째,
실제 학습을 하기 전에 메타인지를 활용할 수 있는 [㉣   ]을(를) 제공한다.

338   인지주의 학습이론   ★★★

학습에서 전이란 선행학습이 새로운 학습에 [㉠   ]을(를) 주는 것 또는 학습 내용을 다른 상황에
[㉡   ]하는 것을 의미한다. 학습의 전이에 영향을 미치는 요인은 다음과 같다. 첫째, 선행학습
수준이다. 선행학습에 대한 [㉢   ](이)가 높으면 새로운 학습을 촉진한다.
둘째, 학습 내용과 상황과의 관계이다. 학습 상황과 실제 상황과의 [㉣   ]이(가) 높으면 학습
내용을 적용하기 용이해진다.

339   효과적인 교수   ★★

교사효능감이란 [㉠   ](으)로, 가르치는 행위가
학생의 학업성취를 변화시킬 수 있다고 믿는 [㉡   ] 교사효능감, 자신의 가르치는 능력에 대한
지각인 [㉢   ] 교사효능감으로 구분된다. 이러한 교사효능감이 중요한 이유는 다음과 같다.
첫째, 일반적 교사효능감이 높으면 학생의 실패가 있는 경우에도 교사는 [㉣   ]을(를) 수정함
으로써 교수의 질을 개선하게 한다는 점에서 중요하다. 둘째, 개인적 교사효능감을 통해 교사의
[㉤   ]이(가) 향상되고 교직에 헌신할 수 있게 만든다는 점에서 중요하다.

Answer

334 ㉠ 인지도 ㉡ 잠재적인 형태
335 ㉠ 파지 ㉡ 정교화 ㉢ 조직화 ㉣ 심상
336 ㉠ 회상 ㉡ 재인 ㉢ 숙고의 시간 ㉣ 사전검토
337 ㉠ 계획, 점검, 조절, 평가 ㉡ 직접 시범 ㉢ 체크리스트 ㉣ 연습의 기회
338 ㉠ 영향 ㉡ 적용 ㉢ 이해도 / 기억의 정도 ㉣ 유사성 / 연계성
339 ㉠ 교사 요인이 학업성취에 얼마나 영향을 미칠 수 있는지에 대한 지각 ㉡ 일반적 ㉢ 개인적 ㉣ 교수 방법 ㉤ 직무동기

05 생활지도 및 상담

● 본책 p.157
● 빈칸 빠른답안 p.199

340 생활지도

학생이 삶에서 직면하는 여러 가지 문제를 스스로 해결하고 극복할 수 있도록 지원하는 생활지도의 기본원리는 다음과 같다. 첫째, [㉠]의 원리이다. 생활지도는 모든 인간을 존중하고 그들의 의견을 수용하여야 한다. 둘째, 자율성 존중의 원리이다. 생활지도의 목적은 [㉡]을(를) 함양시키는 데 초점을 두어야 한다. 셋째, 적응의 원리이다. 생활지도는 실제 생활에 원만하게 적응할 수 있도록 조력해주어야 한다. 넷째, [㉢]의 원리이다. 생활지도도 교육의 일환으로서 궁극적으로 자아를 실현할 수 있도록 도와야 한다.

341 생활지도

생활지도의 목적은 학생 스스로 문제를 해결할 수 있도록 조력하면서 자아실현을 돕는 것이라 할 수 있다. 따라서 생활지도는 자아실현을 하고자 하는 [㉠]이(가) 대상이 된다. 한편 생활지도의 주요 활동은 다음과 같다. 첫째, [㉡](이)다. 학생을 정확히 이해하고 지원하는 데 필요한 각종 자료를 수집한다. 둘째, [㉢](이)다. 내담자와 상담자 간 상호작용을 통해 내담자가 갖는 고민, 문제를 함께 고민하거나 해결방안을 모색한다.

342 진로지도

학생이 미래 유능한 직업인으로 성장할 수 있도록 지도·안내하는 진로지도의 방법은 다음과 같다. 첫째, [㉠](이)다. 개인이 가진 성격, 태도 등 고유한 특성을 파악하고 해당 결과와 진로·직업을 연계한다. 둘째, [㉡](이)다. 교과에서 배우는 지식과 연계되는 직업을 조사하고 교과 시간 내에서 이를 다루도록 한다. 셋째, 전문가 초청 강연이다. 각 분야에서 성공한 사람을 초청하여 학생들이 [㉢]을(를) 할 수 있도록 돕는다. 넷째, 진로·직업 체험활동이다. [㉣]에 직접 방문하여 여러 직업을 체험하면서 자신의 진로를 미리 경험하게 한다.

343 진로지도

홀랜드는 6각형 모형을 통해 개인과 직업 환경에 대해 유형을 구분하고 유사한 유형들을 매칭한다. 이때 제시되는 성격유형은 다음과 같다. 첫째, 실재형이다. 이러한 유형의 학생은 [㉠] 등 구체적인 사물, 현장, 도구, 기계를 활용하는 일을 선호한다. 둘째, 탐구형이다. 이러한 유형의 학생은 [㉡]와(과) 같이 원리와 법칙을 탐구하면서 지적 능력을 활용하는 일을 선호한다. 셋째, 예술형이다. 이러한 유형의 학생은 예술가와 같이 창의적·미적인 표현을 하는 일을 선호한다. 넷째, [㉢](이)다. 이 유형의 학생은 교사와 같이 사람과 함께 일하거나, 타인을 가르치는 일을 선호한다. 다섯째, 기업형이다. 이 유형의 학생은 경영자와 같이 부와 명예를 추구하는 일을 선호한다. 여섯째, [㉣](이)다. 이 유형의 학생은 법조인과 같이 체계적이고 관습적인 규칙, 규범이 정해진 일을 선호한다.

344 진로지도 ★

블라우는 직업 선택에 있어서 개인이 통제할 수 없는 [㉠]이(가) 큰 영향을 미친다고 본다. 학생의 진로 결정에 영향을 주는 구체적 요인은 다음과 같다. 첫째, 가정이다. 자녀에 대한 부모의 기대, 가족의 가치관, 부모의 [㉡]에 따라 진로가 변화한다. 둘째, 학교이다. [㉢], 학생에 대해 가지는 학교의 기대 등으로 인해 진로가 변화한다. 셋째, 지역 사회이다. 지역 사회가 갖는 규범, 가치관, 환경적 요인들이 진로 결정에 영향을 준다.

Answer

340 ㉠ 개별성 존중과 수용 ㉡ 학습자 스스로 문제를 해결할 수 있는 능력 ㉢ 자아실현
341 ㉠ 모든 학생 ㉡ 학생 조사활동 ㉢ 상담 활동
342 ㉠ 심리검사 ㉡ 교과 연계 진로지도 ㉢ 모델링 ㉣ 진로·직업 체험처
343 ㉠ 농업인 / 기술직 ㉡ 연구개발직 ㉢ 사회형 ㉣ 관습형
344 ㉠ 사회적 요인 ㉡ 사회경제적 지위 ㉢ 교사·동료 학생과의 관계

345 학생 상담

학교에서 발생하는 다양한 스트레스에 대해 학생들은 스스로 보호하기 위해 방어기제를 활용한다. 제시문의 혜정이는 시험을 망쳤지만, 자신이 잘하는 점을 통해 이를 극복하고 있는데, 이러한 방어기제를 ⓐ [　　ㄱ　　](이)라 한다. 수빈이는 시험을 망친 것에 대해 코로나라는 적당한 이유를 제시하면서 스트레스를 극복하고자 하는데, 이러한 방어기제를 [　　ㄴ　　](이)라고 한다.

346 학생 상담

내담자가 갖는 정신적·행동적 문제를 해결하는 것을 도와주는 상담의 기본 요건은 다음과 같다. 첫째, [　　ㄱ　　](이)다. 어떤 상황에 있는 내담자라도 한 인간으로서 존중하면서 내담자의 상황, 특성, 행동을 있는 그대로 받아들인다. 둘째, [　　　ㄴ　　　](이)다. 상담자는 내담자의 입장에서 내담자를 이해한다. 셋째, 일치성이다. 상담자는 진실되고 솔직한 자세를 취하며 내담자와 상담자 간의 [　　ㄷ　　]을(를) 일치시킨다. 넷째, [　　ㄹ　　] 형성이다. 내담자, 상담자 간에는 서로 신뢰하면서 감정적으로 친근함을 느끼도록 한다.

347 학생 상담

아들러의 개인심리상담이론에 따르면 타인에 비해 부족하다고 느끼는 심리적 상태를 [　　ㄱ　　](이)라 한다. 이는 완전을 향해 끊임없이 노력하는 과정에서 필연적으로 발생할 수밖에 없다고 보면서 이를 극복하는 과정에서 [　　ㄴ　　](이)가 촉진된다고 본다. 따라서 상담을 통해서 열등감을 극복하고 잘못된 [　　　ㄷ　　　]을(를) 수정하면서 타인과 더불어 살아가는 [　　ㄹ　　]을(를) 형성하는 것을 기대한다.

348 학생 상담 ★

엘리스의 합리적 - 정서적 행동치료이론에 따르면 인간의 행동은 개인의 의식적이고 주관적인 사고 과정에 영향을 받는다고 가정한다. 이때 내담자가 부적절한 행동을 하는 이유는 개인이 경험한 선행 사건에 대해 개인이 갖는 [㉠] 때문이라고 본다. 따라서 이를 해결하기 위한 방법으로는 논리적·실용적·현실적인 조언, 비판을 제시하는데, 이를 [㉡](이)라 한다.

349 학생 상담 ★

로저스의 인간중심 상담이론에서는 인본주의에 바탕을 두면서 인간은 삶을 주도하고 의미 있게 살아가는 긍정적 존재로 가정한다. 이 이론에 따를 때 상담의 목표는 자신이 가진 자원을 주체적으로 활용하면서 잠재력을 발휘하기 위해 끊임없이 노력하는 인간, 즉 [㉠]을(를) 육성하는 데 있다. 이를 위해서 상담자는 내담자 스스로가 문제를 인식하고 해결할 수 있도록 돕는 [㉡] (으)로서 역할을 수행해야 한다.

05

Answer

345 ㉠ 보상 ㉡ 합리화
346 ㉠ 수용 ㉡ 공감적 이해 ㉢ 목적 ㉣ 라포
347 ㉠ 열등감 ㉡ 동기 ㉢ 생의 목표와 생활 양식 ㉣ 공동체감
348 ㉠ 비합리적 신념 ㉡ 논박
349 ㉠ 충분히 기능하는 인간 ㉡ 보조자

최윤휘 SELF 교육학
핵심개념 456
모범답안 & 빈칸암기노트

VI

교육행정

교육행정 총론

● 본책 p.162
● 빈칸 빠른답안 p.200

350 교육행정의 의의

A교사는 교육부나 교육청이 학교 현장을 지원해주는 역할을 해야한다고 강조하는데, 이러한 교육행정의 성격을 [　　　　　⊙　　　　　] 성격이라 한다. 한편, B교사의 의견과 관련하여 교육행정을 실천할 때 추구해야 하는 원리로는 다음과 같다. 첫째, [　　　ⓛ　　　]의 원리이다. 교육행정의 주체는 학교이고, 학교 안에서의 의사결정은 구성원들의 자유로운 참여와 의견 개진을 통해 이루어져야 한다. 둘째, [　　ⓒ　　]의 원리이다. 교육행정은 공적 목적 달성을 위한 것이므로 초·중등교육법 등을 준수해서 전개해야 한다. 셋째, 자율성의 원리이다. 법의 테두리 안에서 학교 상황에 맞게 조직과 인사를 자유롭게 운영할 수 있어야 한다.

351 교육행정의 발달사

베버는 이상적인 행정 체계로서 관료제를 제시한다. 이때 학교 또한 관료제로서 특성을 가지는데, 첫째, [　　⊙　　](이)다. 학교는 교장−교감−부장−교사로 이어지는 위계적 구조를 지닌다. 둘째, [　　ⓛ　　](이)다. 학교 조직은 개별 부서로 나뉘고 개별 부서 안에서 구성원들은 각자의 교과, 업무를 담당한다. 셋째, [　　ⓒ　　](이)다. 업무는 온·오프라인을 통해 문서로 보고하고 결재를 맡는 구조로 진행된다. 넷째, [　　ⓓ　　](이)다. 공행정의 특성상 국가에 의해 제정된 법률뿐 아니라 학교에서 자율적으로 수립한 학칙 등을 준수한다.

352 교육행정의 발달사

효과적인 조직 운영을 위한 이론적 기반은 크게 과학적 관리론과 인간관계론으로 구분된다. 양 이론의
차이점은 다음과 같다. 첫째, 추구하는 가치 측면에서 과학적 관리론은 최소 비용으로 목적을 달성하고자
하는 [____㉠____]을(를) 강조하나, 인간관계론은 구성원의 참여, 의견 반영 등을 통해 목적을 달성
하고자 하는 [____㉡____]을(를) 강조한다. 둘째, 조직의 형태 측면에서 과학적 관리론에서는
하나의 최선의 조직이 될 수 있는 공식조직을 강조하나, 인간관계론에서는 조직 내에서 인간의 감정을
살피는 비공식조직을 강조한다. 셋째, 동기유발의 측면에서 과학적 관리론에서는 성과급 제도 등
[____㉢____]보상에 의한 동기유발을 강조하나, 인간관계론에서는 따스한 태도, 인적인 감화 등 내적
보상에 의한 동기유발을 강조한다.

353 교육행정의 발달사

교육행정에 대한 체제이론은 단절된 사고를 지양하고 [_____㉠_____]
사고를 특징으로 한다. 학교는 사회를 구성하는 모든 요인들이 복합적으로 연결되고 재생산되는 장소로서
체제이론에 따르면 [____㉡____](으)로서 성격을 지닌다. 이때 학교에 영향을 미치는 사회체제는
다음과 같다. 첫째, [____㉢____](이)다. 초·중등교육법, 교육공무원법 등 학교 조직의 구성 방향이
달라지며 교육활동을 위한 제도, 틀이 변화한다. 둘째, [____㉣____](이)다. 과거로부터 이어온 전통,
현재 사회적으로 강조되는 이념과 가치, 전반적인 문화·풍토에 따라 교육과정 및 학교 운영이 변화
하게 된다. 셋째, 개인의 특성이다. 개인의 가치관, 성격, 능력에 따라 학교 교육의 방향이 결정된다.

Answer

350 ㉠ 봉사적(조성적) ㉡ 민주성 ㉢ 합법성
351 ㉠ 계층제 ㉡ 분업화 ㉢ 문서화 ㉣ 법규성
352 ㉠ 효율성 ㉡ 민주성 ㉢ 외적
353 ㉠ 체계적이면서도 총체적인 ㉡ 개방체제 ㉢ 법규 ㉣ 사회 문화

◉ 본책 p.164
◉ 빈칸 빠른답안 p.200

354 　동기의 내용이론

매슬로우는 인간의 욕구는 중요도에 따라 단계로 구분되며 하나의 욕구가 충족되어야만 다음 단계의 욕구가 등장한다고 보았다. 그러면서 크게 결핍욕구와 성장욕구로 구분하는데, 각각의 특징은 다음과 같다. 결핍욕구는 생리-안전-사회-존재의 욕구의 순서로 구성되며, 세부 욕구는 [　　　⊙　　　]의 영향을 받으며, 완전한 충족이 [　　ⓒ　　]하다. 반면 성장욕구는 [　　ⓒ　　](으)로서 개인 내부와 관련한 욕구이며 완전한 충족이 불가능하다. 한편 이 이론의 한계로는, 첫째, 인간은 복잡한 존재로서 다양한 욕구가 [　　ⓔ　　] 나타날 가능성을 고려하지 못했다는 점, 둘째, 현실에서 하위욕구가 충족되지 않았는데 상위욕구가 발현될 가능성을 고려하지 못했다는 점을 들 수 있다.

355 　동기의 내용이론　　　　　　　　　　　　　　　　　　　　　　　　　　　　　　　　★

허즈버그는 직무 동기를 발생시키는 요인을 동기요인과 위생요인을 통해 설명한다. 이때 동기요인이란 충족되는 경우 [　　⊙　　]을(를) 주어 적극적 직무 태도를 유발하는 요인을 의미한다. 예를 들어 학생들로부터 받는 [　　　　ⓒ　　　　]에 대한 만족 등을 들 수 있다. 반면 위생요인이란 충족되는 경우에도 직무에 대한 불만족만 제거시킬 뿐 직무 동기를 유발하지는 않는 요인을 의미한다. 예를 들어 보수, 교장-교감과의 관계 등 일 자체가 아니라 [　　ⓒ　　]와(과) 관련한 사항을 들 수 있다.

356 　동기의 내용이론

매슬로우의 5가지 욕구를 생존, 관계, 성장 욕구로 단순화한 앨더퍼 이론의 특징은 다음과 같다. 첫째, 욕구가 순차적으로 발현된다는 매슬로우 이론과 달리 앨더퍼 이론에서는 여러 가지 욕구의 [　　　⊙　　　]을(를) 인정한다. 둘째, 상위욕구가 불충족된다고 하여도 하위욕구가 발현되지 않는다는 매슬로우 이론과 달리 앨더퍼는 하위욕구로의 [　　ⓒ　　]을(를) 인정한다. 셋째, 하위욕구가 충족된 이후에 상위욕구가 나타난다는 매슬로우 이론과 달리 앨더퍼 이론은 하위욕구가 충족되지 않아도 상위욕구가 발현될 수 있다고 본다.

357 　동기의 과정이론　　　　　　　　　　　　　　　　　　　　　　　　　　★

브룸의 기대이론에서는 기대치, 수단성, 유인가가 형성되는 경우 직무 동기가 유발된다고 본다. 이때 교원성과급제가 김 교사의 직무 동기를 유발하는 과정을 설명하면 다음과 같다. 첫째, 기초학력 보장 업무에 충실한 결과 학습지원 대상 학생 비율이 감소한 성과를 경험한 김 교사는 업무 노력에 대한 [　　ㄱ　　](이)가 형성된다. 둘째, 저연차임에도 높은 성과등급을 받은 김 교사는 성과와 보상이 연계된다는 [　　ㄴ　　]을(를) 갖게 된다. 셋째, 성과급에 대해 만족스러움을 느낀 김 교사는 보상에 대한 매력인 [　　ㄷ　　]을(를) 가진다. 즉, 김 교사는 해당 업무와 교원성과급제에 관해 기대치, 수단성, 유인가를 모두 가지므로 직무동기가 유발된다고 할 수 있다.

358 　동기의 과정이론

애덤스의 공정성이론에서는 자신이 타인에 비교해 공정한 대우를 받고 있다고 느끼는 경우 직무 동기가 유발된다고 본다. 즉, 이 이론에서 개인의 행동을 결정하는 기준은 타인과의 대우 간의 [　　ㄱ　　](으)로서, 구체적으로는 자신과 타인 간의 [　　ㄴ　　]을(를) 비교한다. 따라서 공정성이 확보가 안 되는 경우 다음의 전략을 통해 공정성을 회복하고자 한다. 첫째, [　　ㄷ　　](이)다. 개인의 업무 시간, 강도 변경이 이에 해당한다. 둘째, 성과의 조정이다. 보수, 성과급의 변경을 요청하면서 공정성을 회복할 수 있다. 셋째, [　　ㄹ　　](이)다. 자신의 투입, 성과 변경이 어려운 경우 비교 대상 자체를 변경한다.

359 　동기의 과정이론

로크의 목표설정이론에서는 목표의 내용, 강도에 따라 직무 동기가 변경된다고 본다. 이때 직무 동기를 성공적으로 유발하는 목표의 조건은 다음과 같다. 첫째, 구체성이다. 목표의 내용이 분명한 경우, [　　ㄱ　　]을(를) 개발하기 용이하여 동기를 유발하게 된다. 둘째, 도전성이다. 목표의 강도가 도전적인 경우, [　　ㄴ　　]이(가) 발생해 동기를 유발하게 된다. 셋째, 달성 가능성 이다. 목표의 난이도가 본인의 능력과 노력에 비해 다소 낮거나 적절한 경우 목표 달성에 대한 [　　ㄷ　　]이(가) 형성되고 동기를 유발시킨다. 넷째, 목표의 내용과 강도가 개인에게 수용적인 경우 개인의 [　　ㄹ　　]을(를) 유발하고 직무 동기를 향상시킨다.

Answer

354 ㉠ 외부 ㉡ 가능 ㉢ 자아실현 욕구 ㉣ 동시에
355 ㉠ 높은 만족 ㉡ 인정, 존경, 교수활동 그 자체 ㉢ 직무 환경, 조건
356 ㉠ 동시 발생 가능성 ㉡ 퇴행 가능성
357 ㉠ 기대치 ㉡ 수단성 ㉢ 유인가
358 ㉠ 공정성 유무 ㉡ 투입 대비 성과 ㉢ 투입의 조정 ㉣ 비교 대상의 변경
359 ㉠ 구체적인 과업과 전략 ㉡ 도전 의식 ㉢ 기대감 ㉣ 주의집중

06

○ 본책 p.166
○ 빈칸 빠른답안 p.200

---

360 지도성의 관점변화

교실에서의 교사 지도성이란 교실 내 목표를 달성하기 위해 [　　　　　⊙　　　　　](이)라 할 수 있다. 이때 지도성을 특성적 접근과 행동적 접근으로 설명하면 다음과 같다. 첫째, 특성적 접근은 훌륭한 지도자의 좋은 특성이 무엇인가에 관심을 둔 입장으로, 이 접근에 따르면 교사 지도성이란 교사가 갖고 있는 [　　　　　ⓛ　　　　　](이)라고 정의된다. 둘째, 행동적 접근은 훌륭한 지도자가 보이는 행동이 무엇인가에 관심을 둔 입장으로, 이 접근에 따르면 교사 지도성이란 [　　　ⓒ　　　] 등으로 정의된다.

---

361 지도성의 관점변화

오하이오 주립대학에서는 지도자의 행위를 과업과 절차를 중시하는 구조중심, 상호 신뢰·온정을 중시하는 배려중심으로 구분하고 각각의 고저에 따라 지도자 유형을 구분한다. 이에 따를 때 A중학교 김 교장의 행동을 분석하면 다음과 같다. 첫째, 김 교장은 지시보다는 편안한 업무 분위기를 강조하는데, 배려중심이 [　⊙　](라)고 할 수 있다. 둘째, 김 교장은 일상적인 업무에 대해서는 보고 과정을 간소화하는데, 구조중심이 [　ⓛ　](라)고 할 수 있다. 따라서 오하이오 연구에 따를 때 김 교장이 보여주는 행동의 유형은 [　ⓒ　] 유형에 해당한다.

---

362 지도성의 관점변화　　　　　　　　　　　　　　　　　　　　　　★

일반적으로 상황이론에서는 상황에 따라 효과적인 지도자의 특성과 행동이 다르다고 분석한다. 피들러의 상황이론에서는 지도성을 상황에 대해 집단에 대하여 지도자가 영향력을 행사하는 정도라고 보는데 제시문의 A에 해당하는 것을 [　　　　⊙　　　　](이)라고 한다. 이것에 영향을 미치는 요인은 다음과 같다. 첫째, [　　　　　ⓛ　　　　　](이)다. 이는 지도자에 대한 구성원의 존경도, 신뢰로서 이것이 양호할수록 상황의 호의성 정도가 높다. 둘째, 과업 구조이다. 이는 과업이 구체적으로 [　ⓒ　]되어 있는 정도로서 이것이 구조화될수록 상황의 호의성 정도가 높다. 셋째, [　ⓔ　](이)다. 이는 임면권, 평가권 등 지도자에게 공식적으로 주어진 권력으로서 지위 권력이 높을수록 상황의 호의성 정도가 높다.

363 지도성의 관점변화 ★

허쉬와 블랜차드의 상황적 지도성 이론에 따를 때 구성원의 성숙도에 영향을 미치는 요인은 다음과 같다. 첫째, [㉠   ](이)다. 이는 구성원이 가진 직무수행능력, 지식, 기술 등을 의미한다. 둘째, 심리성숙도이다. 이는 구성원이 갖는 [㉡   ] 등을 의미한다. 이 이론은 절대적으로 효과적인 지도성의 유형이 있다고 보는 것이 아니라 구성원의 성숙도 수준에 따라 효과적인 지도성이 다르다고 보아 상황에 맞는 리더십의 형태가 중요함을 강조했다는 점에서 의의를 지닌다.

364 지도성의 관점변화

커와 저미어는 지도성이 상황에 의존하기는 하나, 특정한 상황에서는 지도성이 아무런 영향을 미치지 못한다고 본다. 그러한 특정 상황을 크게 2가지로 구분하는데, 첫째, [㉠   ] 상황이다. 이는 지도자의 지도성을 대신하여 다른 사람이 구성원의 태도, 지각, 행동에 영향을 미치는 상황을 의미한다. 둘째, [㉡   ] 상황이다. 이는 지도자의 행동을 대신하는 것이 아니라 지도자가 특정한 행동을 하지 못하게 하거나 효과를 무력화하는 상황을 의미한다. 한편, 이러한 상황에 영향을 미치는 요인은 다음과 같다. 첫째, 구성원의 특성이다. 구성원의 [㉢   ], 보상이나 제도에 대한 관심 수준이 상황에 영향을 미친다. 둘째, 과업의 특성이다. 과업의 [㉣   ] 여부, 만족감 부여 여부 등에 따라 상황에 영향을 미친다. 셋째, 조직의 특성이다. 조직 내 역할과 절차의 공식화 여부, 구성원과 지도자 간의 자리 배치 등에 따라 상황이 변화한다.

Answer

360 ㉠ 교실 구성원인 학생들에게 영향력을 행사하는 과정 ㉡ 교직관, 교사 동기, 수업 능력 등 ㉢ 학급 경영 전략과 행동, 수업 운영 전략과 행동

361 ㉠ 높다 ㉡ 낮다 ㉢ 인화지향적

362 ㉠ 상황의 호의성 ㉡ 지도자와 구성원의 관계 ㉢ 세분화, 체계화 ㉣ 지위권력

363 ㉠ 직무성숙도 ㉡ 직무에 대한 동기, 애착, 헌신

364 ㉠ 대용 ㉡ 억제 ㉢ 능력과 경험 ㉣ 구조화

---

365 최근의 지도성 이론 ★

변혁적 지도성과 거래적 지도성의 차이점은 다음과 같다. 첫째, 의사소통 방식의 측면에서 변혁적 지도성은
지도자와 구성원 간의 [　　　⑦　　　] 소통을 강조하나, 거래적 지도성은 지도자로부터의
수직적, 일방향 지시를 강조한다. 둘째, 보상 방식의 측면에서 변혁적 지도성은 칭찬, 연수 등과 같은
[　　⑥　　] 보상을 강조하나 거래적 지도성은 보수, 승진과 같은 외적 보상을 강조한다. 셋째, 변화에
대한 태도 측면에서 변혁적 지도성은 변화에 [　　⑥　　]이며 이를 주도적으로 이끌려고 하나, 거래적
지도성은 변화에 소극적이고 이를 [　　②　　]하고자 한다.

---

366 최근의 지도성 이론 ★★

구성원들이 자발적 지도성을 통해 스스로 지도자로 성장할 수 있도록 도와주는 지도성의 명칭을
[　　　⑦　　　](이)라 한다. 이러한 지도성이 교육 현장에 필요한 이유는 다음과 같다.
첫째, 교장은 교사를 교실 내 지도자로 성장시키면서 교실 상황에 맞는 [　　⑥　　]을(를) 실천할
수 있다. 둘째, 교사는 학생을 지도자로 성장시키면서 개별 학생을 [　　⑥　　](으)로 육성시킬 수
있다.

---

367 최근의 지도성 이론 ★

서지오반니는 학교 교육의 질적 향상 및 유지를 위해 사용할 수 있는 힘을 지도성이라 보면서 지도성을
수준에 따라 위계화한다. 이 중 가장 높은 수준의 지도성은 [　　　⑦　　　](으)로 이는
독특한 학교 문화를 창출하는 데 관심을 두고, 구성원을 조직의 주인으로 만드는 것에 초점을 둔 지도성을
의미한다. 이러한 지도성을 가지는 교장의 모습으로 [　　⑥　　](으)로서 교장을 제시하는데,
구성원과 가치를 공유하고 조직을 [　　⑥　　]하는 데 강점을 지닌다.

368 최근의 지도성 이론

제시문의 A 지도성은 지도성의 책임을 여러 사람과 공유하는 것에 초점을 두는데 이러한 지도성을 [㉠   ](이)라 한다. 학교 현장은 이전보다 복잡, 다양해짐에 따라 교장, 교감 혼자서는 해결하기 역부족인 문제가 늘어나고 있는데, 분산적 지도성은 교장, 교감, 교사, 학부모의 [㉡   ]을(를) 이끌어 낸다는 점에서 의의를 지닌다. 반면 B 지도성은 다른 사람에게 강한 영향력을 미치는 지도자의 비범성에 초점을 두는데 이러한 지도성을 [㉢   ](이)라 한다. 학교 폭력, 교권 침해 등 학교 현장에서의 위기가 심화되는 상황에서 카리스마 지도성은 리더의 확고한 태도와 능력을 통해 학교가 겪는 위기를 [㉣   ] 해결할 수 있다는 점에서 의의를 지닌다.

06

Answer

365 ㉠ 수평적, 쌍방향 ㉡ 내적 ㉢ 적극적 ㉣ 회피
366 ㉠ 초우량 지도성(슈퍼 리더십) ㉡ 맞춤형 교육 ㉢ 미래 인재
367 ㉠ 문화적 지도성 ㉡ 성직자 ㉢ 통합
368 ㉠ 분산적 지도성 ㉡ 협력과 책임감 ㉢ 카리스마 지도성 ㉣ 신속하게

● 본책 p.170
● 빈칸 빠른답안 p.201

369 　조직 유형　　　　　　　　　　　　　　　　　　　　　　　　　　　★★★

비공식조직은 공식조직 내에서 구성원끼리 공유하는 사적인 관심에 따라 조직되고 쌍방향 의사소통이 주로 이루어진다는 특징을 지니며, 주로 동아리, 친목회 등의 형태로 나타난다. 학교에서 비공식조직이 주는 순기능은 다음과 같다. 첫째, 개별적 관심을 존중함에 따라 [㉠](이)가 개선되고 직무 동기가 향상된다. 둘째, 쌍방향 의사소통을 통해 구성원 간 상호이해도가 높아져 [㉡]된다. 반면 비공식조직이 주는 역기능은 첫째, 개별 관심과 공식 조직의 목표가 상이한 경우 공식조직의 목표 달성을 저해할 수 있다. 둘째, 업무 외적으로 친숙해지다 보면 [㉢]이(가) 형성되어 비공식 조직 외 구성원과 갈등이 발생할 수 있다.

370 　조직 유형

학교조직의 특성을 제시하면 다음과 같다. 첫째, 파슨스에 따를 때 학교는 [㉠]의 특성을 지닌다. 즉, 학교는 교육을 통해 사회의 문화를 [㉡]하는 기능을 수행함으로써 사회를 유지·발전시킨다. 둘째, 블라우와 스캇에 따를 때 학교는 [㉢]의 특성을 지닌다. 즉, 학교의 주된 수혜자는 고객인 [㉣](으)로서 그들이 원하는 교육적 서비스를 제공한다.

371 　조직 유형

칼슨이 조직을 구분할 때 활용한 기준으로는, 첫째, 조직이 고객을 [㉠]할 수 있는 권한의 유무, 둘째, 고객이 조직을 [㉠]할 수 있는 권한의 유무를 제시한다. 이러한 기준에 따를 때 우리나라의 고교평준화 정책에 따른 일반고의 경우, 무작위배정을 통해 학생이 학교에 배치되고, 학교는 이를 받아들여야 하므로 조직과 고객은 상호선택권이 [㉡](라)고 볼 수 있다. 따라서 일반 고교는 [㉢]에 해당한다고 볼 수 있다.

372 　조직 유형

조직화된 무질서 조직의 특징과 학교 조직의 해당 여부는 다음과 같다. 첫째, [　　　㉠　　　](이)다. 학교의 목표는 행복한 학생이 꿈꾸는 교실과 같이 비구체적이고 불분명한 경우가 많다. 둘째, [　　　㉡　　　](이)다. 교사가 교실에서 사용하는 수업기법 등은 불명확하고 상황과 사람에 따라 변화한다. 셋째, [　　　㉢　　　](이)다. 전보에 따라 학교를 이동하는 교사, 입·졸업에 따라 참여의 기한이 정해진 학생과 학부모 등 학교에 참여하는 구성원들은 참여가 유동적이며, 형태도 다양하다.

373 　조직 유형　　　　　　　　　　　　　　　　　　　★★★

목표 달성을 위해 끊임없이 학습하고 상호협동하는 전문적 학습공동체의 주요 활동은 다음과 같다. 첫째, 공동연구 활동이다. [　　　　　　㉠　　　　　　] 등 교육의 질 개선을 위한 연구가 이에 해당한다. 둘째, [　　　　　　㉡　　　　　　](이)다. 수업을 공개하거나 우수 수업 사례 관련 워크숍 등 자신의 노하우를 공유하는 것이 이에 해당한다. 이러한 전문적 학습공동체의 장점은 다음과 같다. 첫째, 연구를 통해 자신의 전문성을 끊임없이 향상시켜 [　　㉢　　]을(를) 개선하고 공교육의 신뢰 회복으로 이어질 수 있다. 둘째, 수업 공개 등을 통해 의사소통을 활발하게 하고 [　　㉣　　]을(를) 긍정적으로 개선시킨다.

06

374 　조직 유형

구성원들이 자발적 의욕에 따라 끊임없이 학습하는 학습조직의 기본원리는 다음과 같다. 첫째, [　　㉠　　]을(를) 강화한다. 구성원은 자신의 전문성을 향상시키기 위해 교육, 외부활동에 적극적으로 참여한다. 둘째, [　　㉡　　]을(를) 공유한다. 개별적으로 가지는 미래 지향점을 공유하고 이를 발전시킨다. 셋째, [　　㉢　　]을(를) 갖는다. 구성원들은 여러 사건들을 전체적으로 인지하고 세부 요소들을 역동적으로 파악한다. 넷째, 사고의 틀을 중시한다. 조직이 추구하는 방향이 무엇이고 왜 중요한지 구성원과 공감대를 형성한다. 다섯째, [　　㉣　　]의 형태로 학습한다. 시너지 효과를 내기 위해 구성원이 팀을 이뤄 학습하고 행동한다.

Answer

369	㉠ 조직 분위기　㉡ 갈등이 예방　㉢ 파벌
370	㉠ 유형유지조직　㉡ 창조, 보존, 전달　㉢ 봉사조직　㉣ 학생, 학부모
371	㉠ 선택　㉡ 없다　㉢ 사육조직
372	㉠ 불분명한 목표　㉡ 불확실한 기술　㉢ 유동적인 참여
373	㉠ 교육과정 재구성, 교수학습방법 개선 연구　㉡ 교육 실천 및 결과 공유　㉢ 교육의 질　㉣ 조직 분위기
374	㉠ 자기 숙련　㉡ 비전　㉢ 시스템적 사고　㉣ 팀 / 협동학습

375 조직 문화 및 풍토

세시아와 글리나우에 따르면 조직 문화를 구분하는 기준은 다음과 같다. 첫째, ┌─ㄱ─┐에 대한 관심이다. 조직이 구성원의 만족과 복지를 고려하는지에 따라 조직 문화를 구분한다. 둘째, ┌─ㄴ─┐에 대한 관심이다. 구성원이 최선을 다해 직무를 수행하도록 하는 조직의 기대가 충분한지에 따라 조직 문화를 구분한다. 이 기준에 따를 때 문화 유형은 다음으로 구분된다. 첫째, 냉담문화이다. 성과, 인간에 대한 관심이 모두 낮아 서로 간의 불신, 불확실이 존재한다. 둘째, ┌─ㄷ─┐(이)다. 성과에 대한 관심은 높지만 인간에 대한 관심은 낮은 조직으로서 가시적인 성과를 위해 구성원을 소모품으로 간주한다. 셋째, 보호문화이다. 성과에 대한 관심은 낮지만 인간에 대한 관심은 높은 조직으로서 원만하게 운영되는 것처럼 보이나 온정주의에 따라 운영되어 충분한 성과를 내는 데 한계가 있다. 넷째, ┌─ㄹ─┐(이)다. 성과, 인간에 대한 관심이 모두 높은 조직으로서 구성원을 존중하면서도 높은 성과를 낼 수 있도록 자율과 책임을 강조한다.

376 조직 문화 및 풍토 ★

하그리브스는 교사와 학생에 대한 사회적 통제인 ┌─ㄱ─┐와(과) 구성원 간의 사회적 응집인 ┌─ㄴ─┐에 따라 학교문화를 구분하는데 세부적인 유형은 다음과 같다. 첫째, 형식적 학교문화이다. 높은 도구적 차원, 낮은 표현적 차원의 학교로서 계획에 따른 학교 운영을 강조한다. 둘째, ┌─ㄷ─┐ 학교문화이다. 낮은 도구, 높은 표현적 차원의 학교로서 관대하고 태평하며 교사 간 비형식적 관계를 중시한다. 셋째, ┌─ㄹ─┐ 학교문화이다. 도구, 표현적 차원이 모두 높은 학교문화로서 일과 개인의 개발에 대해 높은 기대를 갖고 있다. 넷째, 생존주의자 학교문화이다. 도구, 표현적 차원이 모두 낮은 학교문화로서 불안과 낙망, 사기 저하의 특성을 가지고 있다. 다섯째, 효과적 학교문화이다. 도구와 표현적 차원이 모두 적절한 수준의 학교로서 일과 행동에 대해 높은 기대를 가지고 있으면서도 개인이 업무에 충실할 수 있도록 충분한 지원을 해주는 학교를 의미한다.

377 조직 문화 및 풍토 ★

핼핀과 크로프트의 학교풍토론에 대한 개정본에서는 학교풍토를 4가지로 구분한다. 첫째, ┌─ㄱ─┐(이)다. 이는 구성원 간 협동, 존경, 신뢰가 있는 학교로서 교장은 교사의 의견을 경청하고 교사는 일에 헌신한다. 둘째, 몰입풍토이다. 이는 학교장의 ┌─ㄴ─┐ 통제가 있고 교사는 통제 아래 전문적으로 업무를 수행한다. 셋째, 일탈풍토이다. 학교장은 개방적이고 지원에 관심이 있으나, 교사는 학교장을 ┌─ㄷ─┐하고 교사 간에도 갈등이 만연하다. 넷째, 폐쇄풍토이다. 학교장은 ┌─ㄹ─┐만 강조하고 엄격하게 통제하나, 교사는 교장을 무시하고 업무에도 관심이 없다.

378 조직 문화 및 풍토

윌로워는 학교풍토를 분석하기 위해 사용한 기준으로 [㉠]을
(를) 제시한다. 이 기준에 따를 때 구분되는 학교풍토의 유형은 다음과 같다. 첫째, [㉡](이)
다. 이 학교에서 교사는 학생들의 의견을 존중하면서 민주적인 방식으로 학생들을 통제한다. 둘째,
[㉢](이)다. 이 학교에서 교사는 엄격한 규율과 체벌로 학생을 통제한다.

379 조직 관리 ★★

학교 조직 내에서 발생할 수 있는 갈등의 순기능은 다음과 같다. 첫째, 갈등을 통해 문제를 드러내고
이를 해결하는 과정에서 [㉠]이(가) 일어난다. 둘째, 갈등의 해결 과정에서 상호이해도가
높아지고 [㉡]이(가) 발생한다. 반면 갈등의 역기능은 다음과 같다. 첫째, 팀워크나 협력
분위기가 상실되어 교육의 질 개선을 위한 협동이 배제될 수 있다. 둘째, 학교분위기가 저해되는 경우
교사의 [㉢](이)가 하락한다.

06

Answer

375 ㉠ 인간 ㉡ 성과 ㉢ 실적문화 ㉣ 통합문화
376 ㉠ 도구적 차원 ㉡ 표현적 차원 ㉢ 복지주의자 ㉣ 온실
377 ㉠ 개방풍토 ㉡ 폐쇄적 ㉢ 무시 ㉣ 잡무
378 ㉠ 학교가 학생을 통제하는 방식 ㉡ 인간주의적 학교 ㉢ 보호지향적 학교
379 ㉠ 조직 혁신 ㉡ 조직의 응집력 ㉢ 직무 동기

○ 본책 p.174
○ 빈칸 빠른답안 p.202

380 의사소통

학교 조직 내에서 발생하는 교사 간 의사소통의 유형은 다음과 같다. 첫째, [㉠](이)다. 전문가로서 교사는 동료 교사와 협업하면서 수업 노하우를 공유한다. 둘째, 수직적 의사소통이다. 관료제 구성원으로서 교사는 교장, 교감에게 업무를 보고, 그들로부터 지시를 받는다. 각 유형에서 의사소통을 방해하는 요인은 다음과 같다. 첫째, 수평적 의사소통 시의 방해요인으로는 개인 간의 [㉡]을(를) 들 수 있다. 어투, 표현방식 등의 차이가 오해를 불러일으키는 경우 의사소통을 방해할 수 있다. 둘째, 수직적 의사소통 시의 방해요인으로는 [㉢]을(를) 들 수 있다. 조직문화가 지나치게 위계화되어 있거나 엄숙한 경우 보고나 지시가 경직될 수 있다.

381 의사소통

조해리의 창에서는 자신에 대한 정보가 [㉠]에 따라 의사소통 방식을 구분한다. 이때 가장 효과적인 의사소통 방식은 자신과 타인 모두 자신에 대한 정보를 알고 있는 경우인데, 이러한 의사소통 방식을 [㉡](이)라고 한다. 이 유형은 정보를 서로 알고 있으므로 소통 주제에 관해 상호 간에 [㉢](으)로 소통이 이루어진다.

382 의사소통

브리지스는 조직구성원을 의사결정에 참여시킬 때 참여의 정도를 결정하는 기준을 제시한다. 구체적인 기준으로는 첫째, ⬚⬚⬚⬚⬚⬚ ㉠ ⬚⬚⬚⬚⬚⬚(이)다. 이는 구성원이 의사결정에 이해관계를 가지고 있는지 여부이다. 둘째, 전문성이다. 이는 구성원이 의사결정에 도움이 될 수 있는 ⬚⬚⬚⬚ ㉡ ⬚⬚⬚⬚을(를) 가지고 있는지 여부이다. 제시문의 경우 학교자율시간은 모든 교사에게 적용되므로 이와 관련한 의사결정은 구성원에게 적절성이 ⬚⬚⬚ ㉢ ⬚⬚⬚(라)고 할 수 있으나, A중학교 대부분의 교사는 자율적 교육과정 운영과 관련한 경험이 부족해 전문성은 낮다고 할 수 있다. 따라서 브리지스 모형에 따를 때 A중학교 교사들의 수용영역은 한계 조건에 해당하고 ⬚⬚⬚⬚⬚⬚⬚ ㉣ ⬚⬚⬚⬚⬚⬚⬚에만 참여시키는 것이 적절하다고 할 수 있다.

383 의사소통 ★

호이와 타터는 브리지스 모형을 발전시켜 의사결정 상황별로 나타날 수 있는 의사결정의 형태와 리더의 역할을 제시하였다. 제시문의 A 상황은 구성원들이 관련성, 전문성은 갖지만 신뢰가 부족한 상황으로 ⬚⬚⬚⬚ ㉠ ⬚⬚⬚⬚에 해당한다. 이 상황에서 의사결정은 집단의 의견을 취합하지만 결정은 리더 단독으로 결정하는 집단 자문의 형태로 의사결정이 이루어지며, 이때 리더는 ⬚⬚⬚⬚ ㉡ ⬚⬚⬚⬚(으)로서 의사결정과 관련한 쟁점 사항과 제약요인을 구성원들에게 설명하는 역할을 수행한다. 반면 B 상황은 구성원들이 전문성을 가지나 관련성은 없는 상황이므로 ⬚⬚⬚⬚ ㉢ ⬚⬚⬚⬚에 해당한다. 이 상황에서 의사결정은 전문성을 가진 일부 구성원의 의견을 듣지만 이에 구속받지 않고 결정은 리더 단독으로 결정하는 ⬚⬚⬚⬚ ㉣ ⬚⬚⬚⬚의 형태로 의사결정이 이루어지며, 이때 리더는 ⬚⬚⬚⬚ ㉤ ⬚⬚⬚⬚(으)로서 전문성을 가진 구성원에게 전문적 의견을 요청하는 역할을 수행한다.

06

Answer

380 ㉠ 수평적 의사소통 ㉡ 성향 차이 ㉢ 조직 문화 및 풍토

381 ㉠ 자신과 타인에게 알려진 정도 ㉡ 민주형(개방영역) ㉢ 쌍방향적이고 적극적

382 ㉠ 적절성 ㉡ 경험과 능력 ㉢ 높다 ㉣ 최종 의사결정 시

383 ㉠ 갈등적 상황 ㉡ 교육자 ㉢ 전문가 상황 ㉣ 개인자문 ㉤ 간청자

◐ **본책** p.176
◐ **빈칸 빠른답안** p.202

---

384 교육기획

교육기획이란 교육 목표 달성을 위한 효과적인 [㉠]을(를) 계획하는 과정을 의미한다. 이러한 교육기획의 효용성은 다음과 같다. 첫째, 중장기적 시각에서 계획을 수립하고 운영하므로 위기 상황에서도 조직을 [㉡](으)로 운영할 수 있게 한다. 둘째, 조직이 가진 자원과 능력을 분명히 밝힘으로써 조직을 [㉢](으)로 운영할 수 있게 한다. 셋째, 계획을 사전에 수립하고 해당 계획에 맞춰 조직이 운영되는지 지속적으로 관찰할 수 있어 조직을 [㉣]하기 용이하다.

---

385 교육기획

교육기획 시 준수해야 하는 원리는 다음과 같다. 첫째, [㉠]의 원리이다. 교육은 모든 사람에게 영향을 미치므로 교육기획 시 참여 등을 통해 이해관계인의 의견을 반영해야 한다. 둘째, [㉡]의 원리이다. 공교육은 재원이 한정되어 있으므로 재원의 출처, 한도 등을 고려해서 가장 효과적인 수단을 마련해야 한다. 따라서 교육기획 시 접근방법은 다음과 같다. 첫째, 민주성의 원리에 따라 다양한 요구를 반영하기 위해 [㉢]에 의한 접근방법을 실시한다. 둘째, 효율성의 원리에 따라 자원과 효과를 계산하고 우선순위를 결정하는 [㉣]에 의한 접근방법을 실시한다.

---

386 교육기획

차년도 업무계획 수립 시 단계별 학교와 교사의 역할은 다음과 같다. 첫째, (가) 단계는 기획을 준비하는 단계로 [㉠] 단계에 해당한다. 이 단계에서 교사는 기획을 위한 세부 절차를 선정하고, 기획 업무를 담당할 부서·담당자를 결정한다. 둘째, (나) 단계는 기획을 구체화하는 단계로 [㉡] 단계에 해당한다. 이 단계에서 기획담당자는 이해관계인의 의견수렴 등을 거쳐 상부에 보고할 문서를 구체적으로 작성한다.

387 교육정책 결정

교육정책 결정 모형별 장단점은 다음과 같다. 첫째, A 모형은 문제와 대안을 분석하고 최선의 대안을 마련하고자 하는데 이러한 모형을 [㉠   ](이)라 한다. 이 모형은 문제에 맞는 가장 효과적인 대안을 마련할 수 있다는 장점은 있지만, [㉡   ]하다는 단점이 있다. 둘째, B 모형은 현실적 여건을 고려하여 적당히 만족스러운 대안을 마련하고자 하는데 이러한 모형을 [㉢   ](이)라 한다. 이 모형은 현실성이 높은 대안을 마련할 수 있다는 장점은 있지만, 만족의 정도를 결정하는 기준이 [㉣   ](라)는 단점을 지닌다.

388 교육정책 결정   ★

제시문에서 교장 선생님은 작년 수준에서 조금만 바뀐 수준에서 학교 계획을 결정하는데 이러한 정책 결정 모형을 [㉠   ](이)라 한다. 이 모형은 [㉡   ](이)가 높은 정책을 마련하기 위해 정책의 점진적 개선을 추구한다는 점에서 의의를 지니나, 점진적 개선의 과정이 지나치게 보수적이고 이에 따라 [㉢   ]을(를) 마련하는 데는 한계를 지닌다는 점을 제시할 수 있다.

06

389 교육정책 결정   ★★

위기 상황이나 오랫동안 해결되지 못했던 문제들이 우연히 해결되는 과정을 설명한 정책 결정 모형을 [㉠   ](이)라 한다. 이 모형에 따른 정책 결정은 주로 학교에서 나타나기도 하는데, 학교라는 조직은 목표가 [㉡   ]하고, 교사가 사용하는 기술이 불확실하며, 구성원들의 참여가 유동적인 경우가 많아 [㉢   ]의 특징을 지닌다. 따라서 이런 조직에서는 합리적이거나 점증적으로 정책 결정이 이뤄지기보다는 [㉣   ] 결정되는 경우를 볼 수 있다.

Answer

384 ㉠ 수단과 방법 ㉡ 안정적 ㉢ 효율적 ㉣ 관리, 감독
385 ㉠ 민주성 ㉡ 효율성 ㉢ 사회수요 ㉣ 수익률
386 ㉠ 기획 이전 ㉡ 계획 형성
387 ㉠ 합리모형 ㉡ 시간과 자원이 제약된 상황에서 현실적으로 적용하기 곤란 ㉢ 만족모형 ㉣ 상황과 이해관계인에 따라 다르다
388 ㉠ 점증모형 ㉡ 수용도 ㉢ 혁신적인 대안
389 ㉠ 쓰레기통 모형 ㉡ 불분명 ㉢ 조직화된 무질서 ㉣ 우연히

390 　교육정책 결정　　★

교육정책 효과 평가 시 활용할 수 있는 기준은 다음과 같다. 첫째, [　⑦　] 여부이다. 당초에 계획했던 정책목표를 얼마나 달성했는지 확인한다. 둘째, 능률성(효율성) 여부이다. 목표를 달성한 경우에도 [　ⓛ　]이(가) 적절했는지 확인한다. 셋째, [　ⓒ　] 여부이다. 공교육의 특성을 고려했을 때 정책의 효과가 모든 사람에게 고르게 돌아갔는지 확인한다.

391 　국가와 지역이 함께하는 교육　　★

2022 개정 교육과정에서는 중학교의 자율성을 보장하기 위해 다음의 내용을 규정한다. 첫째, 시수 조정이다. 교과(군)별 및 창의적 체험활동의 [　⑦　] 내에서 자유롭게 수업 시수를 조정할 수 있도록 하였다. 둘째, [　ⓛ　] 운영이다. 연간 34주를 기준으로 학기별 1주의 시간 동안 지역과 학교 수요를 반영한 새로운 교과를 개설하거나 학생 참여 활동을 실시할 수 있도록 한다.

392 　국가와 지역이 함께하는 교육　　★★

지역의 환경적·인적 자원을 활용하는 교육의 긍정적 효과는 다음과 같다. 첫째, 교과서 외로 학습 내용을 확대하면서 학습자들의 [　⑦　]을(를) 확대한다. 둘째, 전문가의 생생하고도 전문적인 지식을 들으면서 성공모델을 경험하게 되고 이를 통해 [　ⓛ　]을(를) 증진할 수 있다. 이러한 효과를 극대화하기 위한 지원 방안은 다음과 같다. 첫째, 교과서 외 자료에 부정확하거나, 비윤리적인 정보가 있으므로 교육청, 학교 차원에서 교육적으로 적합한 지역 내 [　ⓒ　]을(를) 구축한다. 둘째, 단위 학교와 지역 내 전문가 매칭이 활발할 수 있도록 [　ⓔ　]을(를) 구축한다.

393 　국가와 지역이 함께하는 교육

단위학교의 자율적 학교운영을 위한 국가 수준의 지원방안은 다음과 같다. 첫째, 교육부는 관련 법령, 제도를 마련하고 교육청 간 연계를 촉진하는 [　⑦　] 기능을 수행한다. 둘째, 자율적 학교운영에 필요한 [　ⓛ　]을(를) 충분히 확보하고 중장기적 시각에서 교원 수급 계획을 수립한다. 다음으로 지역 수준의 지원방안은 다음과 같다. 첫째, 교육청은 단위학교별로 운영의 질적 수준 격차를 최소화하기 위해 [　ⓒ　]을(를) 확대한다. 둘째, 선도학교, 연구학교를 운영하고 운영성과가 확산되도록 [　ⓔ　]을(를) 구축한다.

394 교원의 전문성 향상

역할로서의 장학은 [㉠] 중심의 지시와 통제로서 장학을 중시한다. 따라서 이러한 장학은 상부에 의해서 비자발적으로 이루어지는 경우가 많아 장학의 [㉡](이)가 낮다는 한계를 지닌다. 반면 주체가 아닌 방법에 초점을 두는 과정으로서의 장학의 의의는 다음과 같다. 첫째, 장학담당자와 대상자 간 수평적 협동 관계를 강조하므로 장학의 수용도가 높다. 둘째, 정해진 답을 처방하는 것이 아니라 [㉢] 을(를) 고려하므로 학교별 맞춤형 교육의 질 개선이 가능하다.

395 교원의 전문성 향상 ★★★

학교가 자율적 의사에 따라 장학활동에 참여하는 학교 자율 장학의 의의는 다음과 같다. 첫째, 교사의 자율성을 신뢰하여 교육의 질 개선을 위한 교사의 [㉠] 을(를) 제고한다. 둘째, 자율적 의사에 따라 장학에 참여하므로 장학 내용의 [㉡] 을(를) 높인다. 반면 학교 자율 장학의 한계로는 학교, 교사가 원하는 전문성 있는 [㉢] 을(를) 적기에 확보하기 곤란하여 학교별 장학의 편차가 발생할 수 있다.

06

396 교원의 전문성 향상 ★

제시문에서처럼 촬영된 축소 수업 영상을 가지고 장학을 하는 것을 [㉠] (이)라 한다. 이러한 장학의 장점으로는 첫째, 원거리에 있는 장학담당자로부터 원격 장학을 받을 수 있어 [㉡] 을(를) 극복할 수 있다. 둘째, 축소된 수업 영상으로 장학활동이 이루어지므로 단시간에 많은 대상자를 위한 [㉢] 이(가) 가능하다.

Answer

390 ㉠ 효과성 ㉡ 비용(노력) ㉢ 형평성
391 ㉠ 20% 범위 ㉡ 학교 자율시간
392 ㉠ 교육경험 ㉡ 흥미와 학습 동기 ㉢ 교육자원지도 ㉣ 전문가 인력풀
393 ㉠ 컨트롤 타워 ㉡ 재원 ㉢ 장학 및 연수 ㉣ 학교 간 네트워크
394 ㉠ 기관 ㉡ 수용도 ㉢ 학교 및 교사 상황
395 ㉠ 직무 동기 ㉡ 수용도 ㉢ 장학담당자
396 ㉠ 마이크로티칭 ㉡ 공간적 제약 ㉢ 효율적 장학활동

397 교원의 전문성 향상 ★

최근 학교 현장에서 나타나는 수업장학의 특징은 다음과 같다. 첫째, 과거의 지시·통제중심의 일방향 장학이 아닌 공동의 목표를 지닌 사람들 간의 [　　ⓐ　　]을(를) 지향한다. 둘째, 교사의 교수학습 방법에 대한 문제점을 구체적으로 진단하고 해결책을 [　　ⓑ　　](으)로 제시해준다. 따라서 수업 장학의 성공을 위한 조건은 다음과 같다. 첫째, 수업 개선에 대한 조직 전반에 [　　ⓒ　　](이)가 필요하다. 둘째, 전문적인 분석과 해결책 제시를 위해 장학담당자를 비롯한 교원들의 [　　ⓓ　　]이 (가) 확보되어야 한다.

398 교원의 전문성 향상 ★★★

최근 교사들의 수업 개선을 위해 교사들 간 상호협동을 통한 장학인 동료장학이 강조되고 있다. 구체적인 동료장학의 유형으로는, 첫째, 수석교사를 비롯한 경력교사와 저경력교사를 짝지워서 수업 개선을 위한 연구와 실천을 수행하게 하는 [　　　ⓐ　　　], 둘째, 학습동아리와 같이 교사들의 자발적인 의사로 수업 개선을 위한 노하우를 연구·공유하는 조직인 [　　ⓑ　　]을 (를) 통한 장학을 들 수 있다. 이러한 동료장학의 순기능은 다음과 같다. 첫째, 학교 내 전문성을 활용함 으로써 시간과 비용상 [　　ⓒ　　](이)다. 둘째, 교원의 자발적 협력을 통해서 장학이 이루어지므로 장학의 수용도가 높다.

399 교원의 전문성 향상

교원의 자발적 의사에 따라 외부 전문기관을 통해 장학을 받는 것을 [　　ⓐ　　](이)라 한다. 이러한 장학을 실시할 때 준수해야 하는 원리로는 다음과 같다. 첫째, [　　ⓑ　　]의 원리이다. 교사가 아닌 외부 전문기관으로부터의 장학에 대한 수용도를 높이기 위해 교원의 자발적 의사가 있는 경우에만 컨설팅 장학을 요청해야 한다. 둘째, 전문성의 원리이다. 장학의 효과가 직접적으로 있으려면, 수업 개선을 위해 탁월한 전문성을 갖춘 외부 기관에게 장학을 요청해야 한다. 컨설팅 장학을 활성화하기 위한 지원 방안은 다음과 같다. 첫째, [　　ⓒ　　] 지원이다. 교사 개인이 부담하기 곤란한 컨설팅 비용을 일부 지원함으로써 수업 개선을 위한 자발적 의사를 높일 수 있다. 둘째, [　　ⓓ　　] 구축이다. 전문적 능력을 갖춘 외부기관에 관한 정보를 제공하여 학교와 기관 간의 매칭을 활성화할 수 있다.

400 교원인사행정

교육공무원법에 따를 때 교원의 의사와 상관없이 사실상 교육활동에 전념하기 어려워 반드시 휴직을 명해야 하는 상황은 다음과 같다. 첫째, 동법 제44조 제1항 제1호 따라 [㉠] (으)로 장기요양이 필요한 경우, 둘째, 동법 동조 동항 제11호에 따라 [㉡] (으)로 종사하게 된 경우를 들 수 있다. 한편 교원의 휴직 의사가 있는 경우 반드시 휴직을 명해야 하는 상황으로는 만 8세 이하의 자녀를 돌보기 위한 [㉢], 임신을 위한 난임휴직을 제시할 수 있다.

401 교원인사행정

교원의 전문성을 평가하는 교원능력개발평가의 순기능은 다음과 같다. 첫째, 학생·학부모의 의견을 청취하고 이를 추후 교육활동에 반영하면서 [㉠]을(를) 가능하게 한다. 둘째, 교사는 교원능력개발평가 결과를 바탕으로 자신의 수업을 [㉡]하고 전문성 확보를 위한 동기가 제고될 수 있다. 반면 교원능력개발평가의 역기능으로는 학생으로부터의 평가가 장난으로 이루어지거나 부적절한 표현이 제시되는 경우, 교사는 정신적 피해를 받게 되고 교직 활동에 대한 [㉢](이)가 침해될 수 있다.

402 교육재정

교육재정이란 공공의 교육활동을 위한 재원을 확보, 배분, 지출, 평가하는 활동을 의미한다. 이때 교육 재정의 운영 원리를 제시하면 다음과 같다. 첫째, 안정적 목적 달성을 위해 [㉠]의 원리에 따라 적정 교육 예산을 충분하게 확보해야 한다. 둘째, 폭넓은 교육 혜택을 주기 위해 [㉡]의 원리에 따라 균등하게 재원을 배분해야 한다. 셋째, 한정된 예산을 고려할 때 [㉢]의 원리에 따라 지출 대비 효과가 크도록 예산을 지출해야 한다. 넷째, 국민으로부터 확보한 세금이라는 측면에서 [㉣]의 원리에 따라 교육재정 운영 활동을 평가해야 한다.

Answer

397	㉠ 쌍방향 장학 ㉡ 직접적 ㉢ 개방적인 문화 ㉣ 전문성
398	㉠ 멘토멘티교사 짝짓기 ㉡ 전문적 학습공동체 ㉢ 효율적
399	㉠ 컨설팅 장학 ㉡ 자발성 ㉢ 비용 ㉣ 전문적 컨설턴트 풀
400	㉠ 신체상·정신상의 장애 ㉡ 노조 전임자 ㉢ 육아휴직
401	㉠ 수요자 맞춤형 교육 ㉡ 성찰 ㉢ 직무 동기
402	㉠ 충분성 ㉡ 형평성 ㉢ 효율성 ㉣ 합법성

403 교육재정

지출 대상을 인건비, 시설비, 운영비 등과 같이 세분화하는 품목별 예산제도는 지출 항목이 명확하고 예산의 이전용을 [㉠]함에 따라 예산 운용의 [㉡]을(를) 추구할 수 있다는 장점이 있지만 급격한 사회 변화에 유연하게 대처하지 못해 [㉢]을(를) 추구하는 데는 단점이 있다.

404 교육재정

A고등학교는 연구학교 예산편성 시에 전년도 예산을 전면 재검토하여 새롭게 설정한 우선순위에 따라 예산을 편성하고자 하는데 이러한 예산제도를 [㉠](이)라고 한다. 이러한 예산제는 상황 변화에 능동적으로 대응하면서 우선순위에 따라 [㉡](으)로 예산 배분이 가능하다는 장점을 지니지만, 예산을 전면 재검토하는 과정에서 오랜 시간이 소요되어 [㉢]이(가) 늘어난다는 단점을 지닌다.

405 교육법

학교에서 발생할 수 있는 안전사고의 종류와 이에 대한 학교 차원의 예방 방안은 다음과 같다. 첫째, 폭염, 폭설, 폭우 등 [㉠]에 따른 안전사고의 발생이다. 천재지변이 예상되거나 이미 발생한 경우 안전사고 예방을 위해 학교장은 초·중등교육법 시행령 제47조 제2항에 따라 [㉡]을(를) 할 수 있다. 둘째, [㉢]와(과) 같이 급식 시 발생할 수 있는 질병을 들 수 있다. 이러한 안전사고 예방을 위해서 학교급식법 제12조 및 동법 시행규칙에 따라 마련된 학교급식의 위생·안전 관리기준에 근거하여 관리를 철저히 한다.

Answer

403 ㉠ 제한 ㉡ 합법성 ㉢ 융통성
404 ㉠ 영 기준 예산제도 ㉡ 합리적 ㉢ 업무 부담
405 ㉠ 천재지변 ㉡ 임시휴업 ㉢ 식중독

07 학교 및 학급 경영

○ 본책 p.184
○ 빈칸 빠른답안 p.203

406 학교 경영

목표관리제란 ⌐ ㉠ ⌐을(를) 통해 활동의 목표를 명료화·체계화함으로써 관리의 효율화를 기하려는 관리기법을 의미한다. 목표관리제는 구성원의 참여를 통해 목표를 설정하므로 ⌐ ㉡ ⌐을(를) 실천한다는 점에서 장점을 지닌다. 학교에서 실천할 수 있는 목표관리제의 운영 방안으로는 교사, 학부모, 지역사회 위원으로 구성된 ⌐ ㉢ ⌐을(를) 통해 차년도 학교 목표를 수립하는 것을 제시할 수 있다.

407 학교 경영 ★

교사, 학부모, 지역사회 전문가의 참여를 통해 학교의 의사결정을 ⌐ ㉠ ⌐하는 학교운영위원회의 순기능은 교육에 관한 학부모, 지역사회의 ⌐ ㉡ ⌐을(를) 확보하게 해준다는 점을 들 수 있다. 그러나 학교운영위원회의 운영상 발생할 수 있는 문제점은 다음과 같다. 첫째, 위원의 ⌐ ㉢ ⌐ 문제이다. 학부모 위원의 경우 일부 학부모의 추천과 참여로만 선정되는 경우가 많고, 지역사회 위원 역시 선정과정이 불명확한 경우가 있다. 둘째, 운영의 ⌐ ㉣ ⌐ 문제이다. 현실적으로 교장의 의견이 전적으로 반영되는 등 교장의 거수기구로 운영되는 경우가 있다.

Answer
406 ㉠ 참여의 과정 ㉡ 민주적 조직 운영 ㉢ 학교운영위원회
407 ㉠ 심의·의결 ㉡ 책무성 ㉢ 대표성 ㉣ 형식성

408 학급 경영 ★★

학급 경영이란 학급 내의 [_____ ㉠ _____]을(를) 활용하는 계획을 수립하고 운영하는 것을 의미한다. 성공적인 학급 경영을 위해 고려해야 하는 원리는 다음과 같다. 첫째, [___ ㉡ ___]의 원리이다. 학생은 한 명의 인간으로서 존중의 대상이므로 학급 경영 시 학생의 참여와 의견 개진을 활성화해야 한다. 둘째, [___ ㉢ ___]의 원리이다. 학급 경영을 위한 자원은 무한하지 않으므로 최소한의 투입으로 최대의 효과를 얻을 수 있도록 학급 경영 계획을 수립해야 한다. 이때 교사의 태도로는 다음과 같다. 첫째, 일관적인 학급 경영을 위해 명확한 [___ ㉣ ___]을(를) 수립하고 이를 학급 경영의 기초로 삼는다. 둘째, 학기 초 학급 내 학생의 인지·정의적 특성을 정확하게 파악하고 이에 맞는 운영 방안을 마련한다.

409 학급 경영 ★

학급 내에서 교사가 인적·물적자원을 활용하는 계획을 수립하고 운영하는 학급 경영은 학급과 관련한 기초조사로부터 시작한다. 이때 기초조사 단계에서 분석하는 내용과 방법은 다음과 같다. 첫째, 학생의 기본적 특성을 조사한다. [_____ ㉠ _____] 등을 통해 학생의 가정환경, 인지·정의적 특성을 확인한다. 둘째, 학급과 관련한 지역자원을 조사한다. [_____ ㉡ _____] 등을 통해 학급 경영 시 활용할 수 있는 지역 내 교육자원을 확인한다.

Answer

408 ㉠ 인적·물적자원 ㉡ 민주성 ㉢ 효율성 ㉣ 교육철학
409 ㉠ 가정환경조사서, 상담, 이전 연도 학교생활기록부 ㉡ 인터넷 조사, 기관 방문

최원휘 SELF 교육학
핵심개념 456
모범답안 & 빈칸암기노트

VII

교육사회

01 교육사회학의 기본적 이해

● **본책** p.188
● **빈칸 빠른답안** p.204

410 교육사회학의 기본적 이해

사회학은 사회현상을 이해하고 사회가 갖는 문제에 관한 해결방안을 모색하는 데 도움을 준다. 따라서 교육사회학을 연구하는 이유는 교육현장이 갖는 [㉠]을(를) 이해하고 이에 대한 해결방안을 모색하기 위함이라 할 수 있다. 교육사회학 연구는 사회학 이론을 교육현장에 적용하는 것으로 시작하여 교육사회학의 독자화를 거쳐 미시적 학교현장 연구로 발전하고 있는데, 이러한 흐름은 법칙화, 일반화 하기 힘든 학교현장의 특수성을 반영하면서 교육의 [㉡]을(를) 이해하는 데 도움을 준다는 점에서 의의를 지닌다.

Answer

410 ㉠ 실제 문제 ㉡ 실제적 모습

02 교육사회학 이론

● 본책 p.189
● 빈칸 빠른답안 p.204

---

411 기능론적 접근

사회의 안정을 강조하는 기능론적 관점의 특징을 설명하면 다음과 같다. 첫째, 사회와 관련하여, 기능론에서는 사회를 유기체로 비유하며, 사회란 [　　　　㉠　　　　](이)라는 공동의 목적을 지닌 개인과 집단의 통합체라고 본다. 둘째, 부분 간의 관계와 관련하여, 각 부분은 [　　　　㉡　　　　](이)가 있을 뿐 우열은 존재하지 않는다고 본다. 셋째, 불평등의 발생과 관련하여, 사회에서 발생하는 부와 권한의 불평등은 기능상의 차이에 따른 [　　　　㉢　　　　]의 결과물이라고 본다.

---

412 기능론적 접근 ★

사회의 안정과 질서유지를 강조하는 기능론적 관점에 따를 때 학교의 기능은 다음과 같다. 첫째, [　　㉠　　] 기능이다. 학교 교육은 새로운 세대에게 기존의 생활양식과 가치 및 규범 전수를 통해 전체 사회의 유지에 기여한다. 둘째, [　　㉡　　] 기능이다. 학교 교육은 재능있는 사람을 분류, 선발하고 적재적소에 배치하여 사회를 안정화한다. 셋째, 학업 격차의 완화 기능이다. 개인 기능상의 차이를 고려한 [　　㉢　　]을(를) 통해 학업성취 수준의 격차를 완화한다.

Answer

411 ㉠ 안정과 질서유지 ㉡ 기능상의 차이 ㉢ 차등적 보상과 권한 분배
412 ㉠ 사회화 ㉡ 인재선발 및 양성 ㉢ 수준별 교육

413 기능론적 접근

뒤르켐은 사회의 질서유지와 통합을 위해 교육을 통한 사회화를 강조한다. 이때 사회화는 크게 두 가지로 구분된다. 첫째, [　　ㄱ　　](이)다. 이는 사회 전체의 동질성 유지를 위해 신체적·지적·도덕적 특성을 함양하기 위한 교육을 의미한다. 둘째, [　　ㄴ　　](이)다. 이는 개인이 사회의 부분으로서 자신의 기능을 충실히 수행할 수 있도록 특수환경에서 요구하는 능력을 함양하는 교육을 의미한다. 사회화를 위해 뒤르켐은 사회의 주된 가치와 신념을 내면화하는 것이 중요하다고 보았는데, 이러한 교육을 [　　ㄷ　　](이)라 하였다. 이때 교사는 학생들을 위해 모범적 헌신을 하며, [　　ㄹ　　] (을)를 제공하는 역할을 수행할 수 있다.

414 기능론적 접근

사회의 안정을 위해 파슨스가 제시한 4가지 기능은 다음과 같다. 첫째, 적응기능이다. 이는 외부환경 으로부터 자원을 얻어 분배하고 보존하는 경제활동 등이 이에 해당한다. 둘째, [　　ㄱ　　]기능이다. 이는 목표와 우선순위를 정하고 목표달성을 위해 자원과 능력을 활용하려는 정부 활동이 이에 해당한다. 셋째, [　　ㄴ　　]기능이다. 사회의 안정을 위해 법과 제도를 통해 부분들 간의 관계를 조정하고 통합하는 것으로 사법부의 활동이 이에 해당한다. 넷째, [　　ㄷ　　]기능이다. 이는 사회 안정을 위해 문화와 가치를 보존하고 전승하는 것으로 학교가 이러한 기능을 주로 수행한다.

415 기능론적 접근　　　　　　　　　　　　　　　　　　　　　　　　　　　★

사회적 규범이란 상황에 따라 어떻게 행동해야 하는지에 대한 구체적 행동 표준이다. 기능론에 따를 때 학교에서 이러한 규범교육이 필요한 이유는 사회에서 필요한 행동 표준을 습득하면서 학생을 [　　ㄱ　　]하고 사회를 [　　ㄴ　　]하기 위함이라 할 수 있다. 드리븐은 교육을 통해 4가지 사회적 규범을 습득할 것을 강조한다. 제시문의 김 교사는 가장 열심히 노력한 학생에게 가장 높은 성적을 부여하는데, 학생들은 이러한 과정을 통해 [　　ㄷ　　] 규범을 습득하게 된다. 또한 이 교사는 학생 들에게 동일한 학습을 하도록 하는데, 학생들은 이러한 과정을 통해 [　　ㄹ　　] 규범을 습득하게 된다.

416 갈등론적 접근 ★

사회의 경쟁과 갈등을 강조하는 갈등론적 관점에 따를 때 학교의 기능은 다음과 같다. 첫째, ⟨ ㉠ ⟩ 기능이다. 지배계층은 자신의 위치와 권한을 공고화하기 위해 학교를 통해 지배집단의 신념과 가치를 피지배계층에게 보편적 가치로 은연중에 내면화한다. 둘째, ⟨ ㉡ ⟩ 양성 기능이다. 지배계층은 관리자로서 자신들의 이익을 극대화하기 위해 학교를 통해 사회에 순응적이고 생산 능력을 갖춘 미래노동자를 육성하고자 한다. 이러한 관점의 한계는 다음과 같다. 첫째, 교육의 기능을 지배계층의 이익을 위한 ⟨ ㉢ ⟩(으)로만 강조하여 인간의 자아실현, 전통문화의 전수와 같은 교육의 순기능을 과소평가한다. 둘째, 학교 교육을 무비판적으로 수용하는 ⟨ ㉣ ⟩ 학습자를 가정하여 인간의 능력과 태도를 과소평가한다.

417 갈등론적 접근

알튀세르는 상부구조인 국가기구를 두 종류로 구분하면서 학교는 지배 이데올로기를 국민에게 전파하여 이를 내면화하는 ⟨ ㉠ ⟩(으)로서 역할을 수행한다고 본다. 따라서 의무교육은 국민으로 하여금 강제적으로 ⟨ ㉡ ⟩을(를) 학습할 수밖에 없는 가장 강력한 재생산기능을 수행한다고 할 수 있다.

418 갈등론적 접근

보울즈와 긴티스가 언급한 차별적 사회화란 ⟨ ㉠ ⟩ (으)로서 교실 환경에서 학생에 대한 교사의 편견, 기대 등이 차별적 사회화의 원인이라고 본다. 한편 보울즈와 긴티스는 대응이론을 통해 노동과 교육이 대응된다고 보는데, 그 이유는 다음과 같다. 첫째, 과업 결정권 측면에서 노동자가 관리자로부터 지시받은 작업 내용만 수행하듯이 학생들은 국가에 의해 정해진 ⟨ ㉡ ⟩을(를) 수동적으로 학습한다는 점에서 대응된다. 둘째, 작업의 이유 측면에서 노동과 교육은 그 자체로 목적이라기보다는 돈을 벌기 위한 수단, ⟨ ㉢ ⟩을(를) 위한 수단이라는 점에서 대응된다. 셋째, 업무의 단계 측면에서 직급에 따라 단계적으로 결정된 노동을 수행하듯이 학교에서도 ⟨ ㉣ ⟩에 따라 단계적으로 정해진 학습을 수행한다는 점에서 대응된다.

Answer

413 ㉠ 보편사회화 ㉡ 특수사회화 ㉢ 도덕교육 ㉣ 모범적 사례
414 ㉠ 목표달성 ㉡ 통합 ㉢ 유형유지
415 ㉠ 사회화 ㉡ 안정화 ㉢ 성취성 ㉣ 보편성
416 ㉠ 불평등 재생산 ㉡ 순응적 노동자 ㉢ 수단 ㉣ 수동적
417 ㉠ 이념적 국가기구 ㉡ 지배계층의 이념
418 ㉠ 개별 학생이 원래 속한 계급에 따라 서로 다른 규범과 성격적 특성을 내면화시키는 것 ㉡ 교육과정 ㉢ 졸업장 ㉣ 학년

419 갈등론적 접근

부르디외의 문화적 재생산이론에 따를 때 학교는 클래식과 같은 지배집단의 문화자본을 저항없이 받아들이게 하는 [㉠]을(를) 행사하는 역할을 한다고 본다. 학교가 이러한 역할을 수행하게 된 것은 학교는 국가로부터 계급 중립적이고 [㉡]을(를) 가진 기관으로 인정받아 그 누구의 의심도 불러일으키지 않기 때문이라고 할 수 있다.

420 갈등론적 접근 ★

프레이리는 교육의 형태를 크게 은행예금식 교육과 문제제기식 교육으로 구분한다. 은행예금식 교육은 교사가 지식을 독점하여 학생들에게 이를 [㉠]하는 교육을 의미하며, 문제제기식 교육은 사회현실을 비판적으로 인식할 수 있도록 인간을 [㉡]하기 위한 교육을 의미한다. 두 교육의 차이점은 다음과 같다. 첫째, 교사와 학생의 관계 측면에서 은행예금식 교육은 교사가 우위에 있는 수직적 관계를 지향하나, 문제제기식 교육은 문제에 대해 교사·학생이 공동으로 [㉢]하는 수평적 관계를 지향한다. 둘째, 교수학습 방법의 측면에서 은행예금식 교육은 교과서에 대한 주입식·강의식 교육이 주를 이루나, 문제제기식 교육은 교과서를 비판적으로 바라보거나, 현실 문제에 관한 [㉣] 교육을 강조한다.

421 갈등론적 접근

일리치를 비롯한 탈학교론자들은 학교에 대한 대안으로서 지식의 독점성을 해소하는 학습을 위한 네트워크, 즉 [㉠]을(를) 제시한다. 이러한 대안의 특징은 다음과 같다. 첫째, [㉡]을(를) 통해 학습자는 학습에 필요한 자료에 쉽게 접근한다. 둘째, [㉢]을(를) 이용하면서 협력적 학습을 통해 지식 공유 및 지식의 재창출을 도모한다. 셋째, 교육자망, 기능망과 같이 학습자가 원하는 전문가를 선택하면서 자신에게 맞는 교육을 받을 수 있게 된다.

422 갈등론적 접근

애플이 언급한 헤게모니란 일상생활과 사회의식 속에 깊이 스며들어 있는 지배집단의 의미와 [　　ㄱ　　]을(를) 의미한다. 지배집단의 이익을 보전하기 위해 학교는 헤게모니를 재생산하기도 하는데, 이를 방지하기 위해 애플은 교사가 헤게모니에 대해 [　　ㄴ　　]을(를) 갖고 각성하면서 민주적 세력과의 연대를 통해 교육의 민주화를 쟁취하는 역할을 수행해야 한다고 본다.

423 갈등론적 접근

윌리스는 저항이론을 통해 학생들의 주체성을 인정하면서도 지배 이데올로기가 재생산되는 과정을 설명한다. 우선, 싸나이 기질을 가진 학생들은 학교 교육의 불공정성에 대해 인식하면서 반학교문화를 형성하는데 이를 [　　ㄱ　　](이)라 한다. 다음으로 반학교문화를 가진 학생들이 학교에 저항하지만 결국 새로운 사회질서를 창출하지 못하면서 또다시 피지배계급으로 남게 되는데 이를 [　　ㄴ　　] (이)라 한다.

424 기능론과 갈등론

기능론적 관점과 갈등론적 관점은 개인과 상황의 특수성을 고려하기보다는 [　　ㄱ　　] 관점에서 사회현상을 접근했다는 점에서 공통점을 지닌다. 그러나 양 관점의 차이점은, 첫째, 학교의 역할 측면에서 기능론은 사회의 안정을 위한 학교의 [　　ㄴ　　] 기능을 강조하였지만, 갈등론은 학교가 사회의 불평등을 조장하는 불평등 재생산기능을 수행한다고 본다. 둘째, 선발제도의 측면에서 기능론에서는 선발제도를 통해 기능상의 차이가 있는 개별 학생들을 분별하고 사회 안정화에 기여하는 우수 인재를 선발한다고 보지만, 갈등론에서는 선발제도 자체에 [　　ㄷ　　]의 이익이 반영되어 그들만을 위한 질서를 재창출하는 역할을 한다고 본다.

07

425 미시적 접근

기능론과 갈등론을 비롯한 거시적 관점과 다른 신교육사회학의 특징은 다음과 같다. 첫째, 연구대상의 측면에서 거시적 관점에서는 사회 구조에 대해서 연구하나, 신교육사회학에서는 사회를 구성하는 [　　　　　ㄱ　　　　　]을(를) 연구한다. 둘째, 연구목적의 측면에서 거시적 관점에서는 일반적인 사회현상을 설명하기 위한 법칙 발견에 초점을 두지만, 신교육사회학에서는 개별 현상에 대한 [　　ㄴ　　]에 초점을 둔다. 셋째, 연구방법의 측면에서 거시적 관점에서는 법칙 발견을 위한 과학적·실증적 분석 방법을 적용하지만, 신교육사회학에서는 현상 이해를 위한 [　　　ㄷ　　　] 을(를) 적용한다.

426 미시적 접근

사회를 구성하는 개인의 특성과 개개인 간의 상호작용에 초점을 주는 미시적 관점에 따라 교육현상을 연구하는 경우 시사점과 한계는 다음과 같다. 우선 실제 사회현상은 [　　　　　ㄱ　　　　　]하기 곤란하므로 교육현상을 심층적으로 이해하기 위해서는 미시적 관점에 따른 연구가 효과적이라는 것을 알 수 있다. 반면 이러한 연구는 교육현상을 이해하는 과정에서 연구자의 [　　　ㄴ　　　]이(가) 개입될 수밖에 없어 교육현상에 대한 자의적 해석이 발생할 수 있다는 한계를 지닌다.

427 미시적 접근　　　　　　　　　　　　　　　　　　　　　　　　　　　★

하그리브스는 교사와 학생의 상호작용을 강조하면서 교사의 유형을 크게 3가지로 구분한다. 첫째, 조련사형 이다. 미성숙한 학생을 모범적인 학생으로 길들이려는 교사로서 [　　　　　ㄱ　　　　　]을(를) 주로 활용한다. 둘째, 연예인형이다. 학생들을 친구처럼 대하면서 학생들이 학습에 흥미를 느끼도록 [　　　　ㄴ　　　　]을(를) 활용한다. 셋째, 낭만가형이다. 학생의 능력과 의지를 신뢰하면서 학습자가 [　　ㄷ　　] 학습할 수 있도록 조력하는 교사를 의미한다.

428 | 미시적 접근

교사와 학생의 상호작용을 강조한 하그리브스는 학생적응양식에 따라 학생을 구분한다. 이때 제시문의 학생에 해당하는 유형은 다음과 같다. 첫째, 민주는 학교의 목적과 수단을 그대로 수용하므로 [⑦]에 해당한다. 둘째, 정훈이는 학교를 진학을 위한 수단으로 생각하면서 학교에 적응하므로 [ⓒ]에 해당한다. 셋째, 진홍이는 아무 의욕 없이 학교에 다니므로 [ⓒ]에 해당한다. 넷째, 민호는 학교에 대해 반발하면서 새로운 규칙과 문화를 형성하기 위해 저항하므로 [ⓔ]에 해당한다.

429 | 미시적 접근

번스타인은 언어사회화 이론을 통해 계급 간 의사소통 방식의 차이와 학업성취 간의 관련성을 확인한다. 이 이론에 근거할 때 계급 간 학업성취의 차이가 나타나는 이유는 다음과 같다. 우선 중상류계급의 학생들은 논리적이고 보편성을 가진 [⑦] 어법을 주로 구사하나, 하류계급의 학생들은 비논리적이고 감정적인 [ⓒ] 어법을 주로 구사한다. 그런데 공식적 교육과정과 교과서는 [ⓒ] 어법으로 구성되어 있고, 교사 또한 그러한 어법을 구사하므로 중상류계급이 친숙하게 교육내용을 습득하게 되고 이로 인해 학업성취 차이가 발생한다.

430 | 미시적 접근

번스타인은 교육과정을 분석하면서 교과 간의 구분이 뚜렷한 정도인 분류와 교육내용 선정에 있어 교사가 가진 [⑦]의 정도인 구조에 따라 교육과정을 구분한다. 이 기준에 따를 때 제시문의 상황은 교과 간 상호 관련이나 교류가 활발하여 분류의 정도가 [ⓒ]하며, 교사와 학생에게 재량권이 부여되어 구조의 정도도 [ⓒ]하므로 [ⓔ] 교육과정에 해당한다. 이러한 교육과정에서는 지식의 단순 암기보다는 획득과 활용, 역량의 습득이 강조되는데 이를 위한 교수법으로 번스타인은 [ⓜ]을(를) 제시한다.

Answer

425 ⑦ 개인 간의 상호작용 ⓒ 해석, 이해 ⓒ 질적 연구 방법
426 ⑦ 법칙화, 일반화 ⓒ 주관
427 ⑦ 지시와 통제 ⓒ 다양한 교수법 ⓒ 자기주도적으로
428 ⑦ 낙관적 순응형 ⓒ 도구적 순응형 ⓒ 식민화 유형 ⓔ 반역형
429 ⑦ 정교화된 ⓒ 제한된 ⓒ 정교화된
430 ⑦ 자율성 ⓒ 약 ⓒ 약 ⓔ 통합형 ⓜ 보이지 않는 교수법

431 미시적 접근

맥닐은 교사가 자신의 수업을 원활히 진행하기 위해 방어적 교수법을 활용한다고 본다. 구체적 유형으로는, 첫째, ____㉠____(이)다. 이는 복잡한 주제와 개념을 연결해서 설명하지 않고 단순하게 설명하는 것을 의미한다. 둘째, ____㉡____(이)다. 논란의 여지가 있는 주제나 복잡한 주제에 대해 알지 않아도 되는 것처럼 설명하는 것을 의미한다. 셋째, 생략이다. 교사가 자의적으로 특정 내용을 생략하고 넘어가는 것을 의미한다. 넷째, 방어적 단순화이다. 이는 학생들을 ____㉢____하여 일부러 학습 내용을 단순하게 가르치는 것을 의미한다. 이러한 연구는 정해진 교육과정과 교과서 내용이 교사에 의해 ____㉣____되는 현실의 과정을 설명해준다는 점에서 의의를 지닌다.

432 미시적 접근

케디는 학생들을 범주화하는 기준으로 사회계급과 능력을 제시한다. 이에 따르면 사회적 계급에 따라 학생을 구분함으로써 상위 계급의 학생들은 더 높은 수준의 교육을 받게 되고, 그 반대의 경우 하위 계급의 학생들은 낮은 수준의 교육을 받게 된다. 따라서 이러한 범주화가 주는 악영향은 다음과 같다. 첫째, 사회의 측면에서 계급 구조를 당연시하게 하고 계급에 따른 사회 격차를 확대시켜 ____㉠____을(를) 저해한다. 둘째, 학습자 측면에서는 개인의 능력과 상관없는 부모의 경제력, 계급에 따라 차별 대우함으로써 ____㉡____을(를) 침해하게 된다.

433 미시적 접근

우즈는 교사의 사회적 지위를 유지하고 교육활동을 원활하게 하기 위한 교사의 생존전략을 다음과 같이 제시한다. 첫째, ____㉠____(이)다. 교사는 규칙과 벌 등을 통해 학생들을 규정된 행동양식에 순응하도록 한다. 둘째, ____㉡____(이)다. 교사는 학생들에게 권위적인 행동을 취하여 학생들에게 자신의 권위성을 인식시킨다. 셋째, ____㉢____(이)다. 교사는 다른 교사나 학생들과 친밀한 관계를 형성하면서 사회적 지위를 강화하고 감정적 지지를 받는다. 넷째, ____㉣____(이)다. 교사는 학교 내부에서 어려운 일을 회피하거나 쉬운 일을 맡기 위해 일부러 학교에 나오지 않거나 수업을 조정한다.

Answer

431 ㉠ 단편화 ㉡ 신비화 ㉢ 과소평가 ㉣ 왜곡
432 ㉠ 균형 있는 사회 발전 ㉡ 자아존중감 / 학습 동기
433 ㉠ 사회화 ㉡ 지배 ㉢ 친목 ㉣ 결근과 자리이동

○ 본책 p.197
○ 빈칸 빠른답안 p.205

434 학력상승 ★

사회의 안정을 강조하는 기능론적 입장에 따를 때 학력상승의 원인을 제시하면 다음과 같다. 첫째, 학습에 관한 개인의 욕구 충족과정에서 학력상승이 일어난다. 사회경제적 발전으로 [㉠] 이론에서 언급한 결핍욕구가 충족되면서 가장 상위욕구인 자아실현 욕구(성장욕구)를 충족하려는 과정에서 학력상승이 나타난다. 둘째, 사회에서 새롭게 요구되는 [㉡]을(를) 습득하는 과정에서 학력상승이 일어난다. 기술기능이론에 따르면 사회의 발전으로 새로운 기술·기능을 필요로 하는 직업이 등장하고 새로운 직업에 적합한 기술·기능을 획득하기 위해 대학, 대학원에 진학하는 과정에서 학력상승이 나타난다. 셋째, 경제 성장을 추구하는 과정에서 학력상승이 일어난다. 인간자본론에 따르면 [㉢]이(가) 풍부해지면 개인적·사회적인 부의 상승으로 이어지는데, 개인과 사회는 지속적으로 경제성장을 추구하는 경향이 있으므로 인적 자본의 수준을 높이는 과정에서 학력상승이 나타난다.

435 학력상승

콜린스의 지위경쟁이론에 따르면 개인이 [㉠]하기 위해 학력상승이 상승한다고 본다. 이때, 남들보다 우위에 있으려면 자신의 가치를 인정받는 것이 중요한데, [㉡]이(가) 자신의 가치를 보여주는 수단이라고 보는 것이다. 이러한 입장은 경쟁이 만연한 현실을 잘 보여준다는 의미를 갖지만 다음의 한계를 지닌다. 첫째, 지나치게 경쟁에만 치중하여 교육을 통해서 습득하는 [㉢]에 대해서는 무관심하였다. 둘째, 경쟁이 주는 [㉣]만 강조하여 균형적인 시각으로 사회현상을 바라보는 데 한계를 가진다.

Answer

434 ㉠ 학습욕구 ㉡ 기술·기능 ㉢ 인적 자본
435 ㉠ 한정된 지위를 둘러싼 경쟁에서 승리 ㉡ 졸업장 ㉢ 내용 ㉣ 부정적 측면

436 공교육의 확대와 대안교육

공교육에 대한 비판으로 등장한 대안학교의 유형은 다음과 같다. 첫째, [㉠   ](이)다. 이는 교사 중심의 주입식 교육을 비판하면서 학생에게 자율권을 부여하고 다양한 형태의 교육을 실시하는 학교이다. 둘째, [㉡   ](이)다. 이는 자연환경에서의 직접적 경험을 강조하면서 의식주와 관련한 기본적 활동을 교육하는 학교이다. 셋째, [㉢   ](이)다. 이는 비행, 부적응 등으로 공교육에 적응하지 못하고 이탈한 학생들을 위해 다시 한번 교육의 기회를 제공하는 학교이다. 넷째, [㉣   ](이)다. 이는 공식적 교육과정의 틀에서 벗어나 개별 학교의 고유이념과 방식을 추구하도록 허용하는 학교이다.

437 사회이동

각 계층에 속해 있는 개인이나 집단이 다른 계층으로 이동하는 현상인 사회이동에 대해 터너는 다음과 같이 유형화한다. 첫째, [㉠   ](이)다. 이는 개인의 노력과 능력을 통해 경쟁에 참여하고 경쟁의 결과에 따라 계층이 이동하는 것을 의미한다. 둘째, [㉡   ](이)다. 이는 기득권의 후원(지원)에 의해 계층을 이동하는 것을 의미한다.

438 사회이동

지위획득모형과 같은 기능론적 접근에 따르면, 사회이동은 [㉠   ], 그로 인해 형성된 [㉡   ]에 영향을 받는다고 본다. 따라서 이 모형에 따를 때 교육은 개인의 능력을 발견하고, 능력에 맞는 [㉢   ]을(를) 제공하는 역할을 해야 한다.

439　教育평등론　★

콜맨 리포트에서는 학업성취에 가장 크게 영향을 미치는 요소로 부모의 지원, 관심과 같은 [　　ㄱ　　]을(를) 제시한다. 즉, 학생이 학교를 다니고 교육을 받는 데 있어서 가정의 지원이 풍족한 경우 높은 학업성취 수준을 달성하고 그렇지 않은 경우 교육결손으로 이어진다고 본다. 따라서 가정환경적 요인으로 교육결손이 발생한 경우에 교육은 그러한 결손을 보충해주는 교육, 즉 [　　ㄴ　　]의 형태로 실시될 수 있다.

440　教育평등론

교육평등에 관한 주요 관점과 이에 부합하는 제도·정책은 다음과 같다. 첫째, 허용적 평등관이다. 이는 모든 사람에게 동등한 교육 기회를 주어야 한다는 관점으로, 초·중등교육법에 따른 [　　ㄱ　　] 제도가 이에 해당한다. 둘째, 보장적 평등관이다. 이는 취학을 가로막는 경제·지리·사회적 제반 장애를 제거해야 한다는 관점으로 학교급식법에 따른 [　　ㄴ　　] 제도가 이에 해당한다. 셋째, 조건적 평등관이다. 이는 학교의 시설, 교사의 자질, 교육과정 등에 있어서 학교 간의 차이를 없애야 한다는 관점으로 [　　ㄷ　　] 정책이 이에 해당한다. 넷째, 결과적 평등관이다. 이는 교육결손을 보충해주거나 교육결과를 같게 만들어주는 관점으로 고입·대입에서의 [　　ㄹ　　] 제도가 이에 해당한다.

441　기초학력 보장　★

기초학력 보장법에 따를 때 기초학력이란 학생이 학교 교육과정을 통하여 갖추어야 하는 [　　ㄱ　　]을(를) 충족하는 학력을 의미한다. 동법 시행령에서는 기초적인 지식, 기능을 규정하고 있는데, 이때 기초적인 지식과 기능이란 국어, 수학 등 교과의 내용을 이해하고 활용하는 데 필요한 [　　ㄴ　　] 능력을 의미한다.

Answer

436 ㉠ 자유학교형 ㉡ 생태학교형 ㉢ 재적응학교 ㉣ 고유이념 추구형
437 ㉠ 경쟁적 이동 ㉡ 후원적 이동
438 ㉠ 개인의 교육 수준 ㉡ 개인의 능력 ㉢ 맞춤형 교육
439 ㉠ 가정환경 ㉡ 보상교육
440 ㉠ 의무교육 ㉡ 무상급식 ㉢ 고교평준화 ㉣ 지역균형 선발
441 ㉠ 최소한의 성취기준 ㉡ 읽기·쓰기·셈하기

442   기초학력 보장   ★★

학생의 학습을 저해하는 요인은 다음과 같다. 첫째, 학습자 측면에서 학습자의 [㉠] 등이 낮으면 학습을 방해한다. 둘째, 환경적 측면에서 [㉡] 등이 낮으면 학습을 방해한다. 한편 학교 내에서 기초학력을 진단할 수 있는 방법은 다음과 같다. 첫째, [㉢]을(를) 통해 학습자의 인지적 수준을 진단한다. 둘째, [㉣]을(를) 통해 학습자에게 영향을 미치는 가정환경과 같은 요인을 진단한다.

443   기초학력 보장   ★★

기초학력 저하가 발생한 학습지원대상 학생을 전문적으로 진단할 수 있는 학교 외 기관으로는 [㉠]을(를) 들 수 있다. 교육(지원)청 단위로 설치된 해당 센터에서 실시하는 전문적 평가 도구와 전문 상담을 통해 학생을 진단할 수 있다. 한편, 교실 내에서 학습지원대상 학생을 지원할 수 있는 교육방법은 다음과 같다. 첫째, 정규수업 중 협력수업을 실시한다. [㉡]을(를) 통해 수업 중 보충학습이 필요한 학생에게는 보조교(강)사가 즉각적으로 맞춤형 피드백을 해준다. 둘째, 방과후 [㉢]을(를) 실시한다. 정규수업 내에서 충분한 지도가 어려운 경우, 방과후에 별도 시간을 편성하거나 과제를 제공한다.

Answer

442 ㉠ 지능 / 선수학습 수준 / 문해력 · 수리력 ㉡ 가정의 지원 / 관심 수준 ㉢ 지필 진단평가 ㉣ 관찰과 면담
443 ㉠ 학습종합클리닉센터 ㉡ 1수업 2교(강)사제 ㉢ 보충수업

교육과 경쟁

◐ 본책 p.200
◐ 빈칸 빠른답안 p.206

---

444 선발과 시험

교육선발의 관점 중 엘리트주의와 평등주의의 차이점을 제시하면 다음과 같다. 첫째, 교육관의 측면에서 엘리트주의는 교육을 통한 학생의 성장을 부정적으로 보면서 선발에 강조점을 갖는 선발적 교육관을 가지나, 평등주의는 누구나 교육을 통해 성장할 수 있다는 [㉠   ] 교육관을 지향한다. 둘째, 평가방법의 측면에서 엘리트주의는 우수한 학생을 변별해야 하므로 [㉡   ]을 (를) 실시하지만, 평등주의는 목표 달성 여부를 강조하므로 준거참조평가(절대평가)를 실시한다. 셋째, 선발시기의 측면에서 엘리트주의는 이른 시기에 우수한 학생을 선발하여 엘리트로 키우는 데 관심이 있어 [㉢   ]을(를) 선호하나, 평등주의는 누구나 목표를 달성하도록 기다려주는 것에 관심이 있어 만기선발을 선호한다.

---

445 선발과 시험

호퍼는 선발방법, 시기, 대상, 기준에 따라 교육선발 유형을 분석한다. 이 분석 방법에 따를 때 우리나라 대학수학능력시험을 분석하면 다음과 같다. 첫째, 방법의 측면에서 수능시험은 국가에 의해 표준화된 선발방식을 가지고 있으므로 [㉠   ]에 해당한다. 둘째, 시기의 측면에서 수능 시험은 중등 교육과정이 종료된 고3 시기에 실시하므로 [㉡   ]에 해당한다. 셋째, 대상의 측면에서 고교교육과정 이수(예정)자이면 누구나 응시할 수 있도록 하여 [㉢   ]에 해당한다. 넷째, 개인의 능력을 기준을 선발하므로 [㉣   ]에 해당한다.

---

444 ㉠ 발달적 ㉡ 규준참조평가(상대평가) ㉢ 조기선발
445 ㉠ 중앙집권형 ㉡ 만기선발 ㉢ 보편주의 ㉣ 개인주의

446 　선발과 시험　　　　　　　　　　　　　　　　　　　　　　　　　　　★

학습 결과를 평가하는 시험의 순기능은 다음과 같다. 첫째, 시험을 실시함으로써 교사에게 수업 준비의
[　　　㉠　　　]을(를) 갖게 함으로써 교육의 질적 수준을 유지하게 한다. 둘째, 학생 간 비교와 경쟁을
통해 학습자에게 긴장감을 불러일으키고 [　　　㉡　　　]을(를) 유발한다. 반면 시험의 역기능은 다음과
같다. 첫째, 교사는 시험에 나올 만한 내용만 가르치게 되고, 주입식 교육을 통해 학생들의
[　　　㉢　　　] 발전을 저해한다. 둘째, 학생에게 [　　　㉣　　　]을(를) 유발하여
정신 건강에 해를 끼치게 된다.

447 　선발과 시험

좋은 입시제도를 평가하는 기준은 다음과 같다. 첫째, 선발의 [　　㉠　　](이)다. 입시제도는 선발
목적에 맞는 인재를 정확하게 선발할 때 바람직하다. 둘째, 교육 효과성이다. 단지 학생을 변별하는 것
에만 그치는 것이 아니라 입시제도 자체가 학생들에게 건전한 [　　㉡　　]을(를) 유발하고 학습에
집중할 수 있을 때 바람직하다. 셋째, [　　㉢　　](이)다. 학교별 건학 이념, 추구하는 방향에 맞게
입시제도를 융통성 있게 운영할 수 있을 때 바람직하다. 넷째, 관리의 [　　㉣　　](이)다. 선발시험을
개발하고, 운영하고 관리하는 과정에서 발생하는 비용과 시간이 현실적으로 적합할 때 바람직하다.

448 　학업성취와 격차　　　　　　　　　　　　　　　　　　　　　　　　　★

학업성취 격차에 영향을 미치는 학교요인은 다음과 같다. 첫째, 학교의 인적 자원이다. [　　㉠　　]
차이에 따라 학업성취 격차가 발생한다. 둘째, 학교의 물적 자원이다. 학교가 가지고 있는 [　　㉡　　]
의 차이에 따라 학업성취 격차가 발생한다.

449 　학업성취와 격차　　　　　　　　　　　　　　　　　　　　　　　　　★

원격교육하에서 발생한 학습격차의 원인을 제시하면 다음과 같다. 첫째, 개인의 측면에서 교사의 피드백이
어려운 비대면 상황에서 학습자가 갖는 [　　㉠　　]의 차이가 학습격차를 발생시킨다. 둘째, 학교의
측면에서 교사가 가지는 원격수업에 대한 관심과 역량의 차이가 학습격차를 발생시킨다. 셋째, 가정
환경의 측면에서 교사의 직접 지도가 어려운 상황에서 [　　㉡　　]의 차이가 학습격차를
발생시킨다.

Answer

446 ㉠ 책무성 ㉡ 학습 동기 ㉢ 고등정신 사고 능력 ㉣ 시험 스트레스
447 ㉠ 타당성 ㉡ 경쟁의식 ㉢ 학교 자율성 ㉣ 효율성
448 ㉠ 학생에 대한 교사의 기대 / 교사의 교수역량 ㉡ 교육 기자재 / 교실환경
449 ㉠ 자기주도적 학습능력 ㉡ 부모의 조력 여하 / 학생에 대한 관심

Chapter

05 교육과 문화

● 본책 p.202
● 빈칸 빠른답안 p.206

450 　기본적 이해

문화지체 현상이란 [⃝]을(를) 의미한다. 디지털 교육매체를 활용한 수업의 경우, 원격수업 시에 발생하는 [⃝], 익명성을 악용한 악성댓글 작성 행위 등이 문화지체 현상의 예라고 할 수 있다.

451 　비행이론　　★

사회통제이론에서는 사회적 유대가 약화되는 경우 비행이 발생한다고 본다. 이때 사회적 유대의 종류는 다음과 같다. 첫째, [⃝]에 대한 신뢰이다. 사회적 규칙인 규범의 타당성을 인정하고 이를 신뢰하는 경우 규범을 준수해야겠다는 의식이 생기고 이를 통해 비행이 억제된다. 둘째, 가정 내 [⃝](이)다. 가정의 관심과 지원이 높을수록 학생은 가정의 기대에 부응하려 하고 이를 통해 비행이 억제된다. 따라서 비행발생을 억제하기 위한 교사의 실천 방안은 다음과 같다. 첫째, [⃝] 등 규범 교육을 통해 규범에 대한 신뢰도, 수용도를 높인다. 둘째, [⃝] 등을 통해 가정 내 애착 수준을 높인다.

Answer

450 ㉠ 빠르게 변화하는 물질 문화에 비해 정신적 문화가 따라가지 못하는 현상 ㉡ 교사의 초상권을 침해하는 행위
451 ㉠ 규범 ㉡ 애착 ㉢ 또래법정 운영 / 공동 규칙 만들기 ㉣ 학부모 상담, 부모·학생 참여 프로그램

452 비행이론

승현이의 비행 원인을 이론을 통해 설명하면 다음과 같다. 승현이는 명품 신발을 사고 싶은 목적이 있으나, 목적을 달성하기 위한 합법적인 수단이 없어 학생들의 돈을 빼앗는 비행을 저질렀다. 이처럼 목적과 수단이 불일치함으로써 비행이 발생한다고 하는 이론을 [㉠] 이론이라 한다. 따라서 비행 예방을 위해서 교사는 [㉡]을(를) 통해 학생의 목적을 변화시키거나 목적 달성을 위한 합법적인 수단을 함께 강구할 수 있다.

453 비행이론

낙인이론에 따르면 권력·영향력 있는 타인이나 사회가 어떤 학생을 비행 학생이라 낙인찍는 경우 학생은 [㉠](이)라고 지각하면서 실제로 비행으로 이어진다고 본다. 반면, 차별적 접촉이론에 따르면 또래와 같은 타인의 비행을 관찰하고 이를 [㉡]하는 과정에서 비행이 발생한다고 본다.

Answer

452 ㉠ 아노미 ㉡ 학생 상담
453 ㉠ 스스로 자신을 비행 학생 ㉡ 모방

○ **본책** p.204
○ **빈칸 빠른답안** p.206

---

454   평생교육

랑그랑은 평생교육에 대해 수직적 차원과 수평적 차원으로 구분하여 정의한다. 수직적 차원에서 평생
교육은 학령기 시기의 교육뿐 아니라 인간이 [　　　　　㉠　　　　　]까지 받는 모든 교육을 의미
하며, 수평적 차원에서는 학교라는 공간뿐 아니라 [　　　　　㉡　　　　　]에서 받는 교육을
의미한다. 이러한 평생교육이 필요한 이유는 다음과 같다. 첫째, 개인적인 측면에서 의학의 발전으로 개인의
수명이 연장되는 상황에서 개인의 [　　　　㉢　　　　] 성장, 새로운 삶의 개척을 위해서
평생교육이 필요하다. 둘째, 사회적인 측면에서 지식정보화가 고도화되는 상황에서 끊임없이 지식을
재창출하는 사회를 구축하기 위해 평생교육이 필요하다.

---

455   평생교육

평생교육의 원리는 다음과 같다. 첫째, [　　㉠　　]의 원리이다. 학교에서의 교육뿐 아니라 학교
밖에서 이루어지는 교육 또한 정당화한다. 둘째, [　　㉡　　]의 원리이다. 지식적인 부분뿐 아니라
다양한 역량을 함양하는 교육을 지향한다. 셋째, [　　㉢　　]의 원리이다. 학령기뿐 아니라 어떠한
상황에 있는 학습자에게도 교육받을 권리를 부여한다. 넷째, [　　㉣　　]의 원리이다. 평생교육은
개인의 필요와 욕구에 기초하여 프로그램을 편성하고 운영한다.

---

456   다문화교육

다문화교육과 관련하여 다문화주의와 동화주의가 있다. 다문화주의란 [　　㉠　　]처럼 다양한 사회
구성원들이 상호공존하며 각각이 색깔과 향기를 지니고 조화로운 통합을 이루기 위해 다문화교육을 운영
하는 관점을 의미한다. 반면 동화주의란 다문화사회에서 각 집단의 문화를 한 데 모아 [　　㉡　　]에
넣어 녹이듯 하나의 문화로 만들기 위해 다문화교육을 운영하는 관점을 의미한다.

Answer

454   ㉠ 태어나서 죽을 때 ㉡ 모든 사회 공간 ㉢ 지속적인
455   ㉠ 전체성 ㉡ 통합성 ㉢ 융통성 ㉣ 민주성
456   ㉠ 샐러드 볼 ㉡ 용광로

빈칸 빠른답안

PART I 교육철학 및 교육사

Chapter 01 교육의 기초

번호	정답	번호	정답
001	㉠ 수직관계 ㉡ 수동적 ㉢ 강의식	004	㉠ 교육 그 자체 ㉡ 자아실현 ㉢ 사회적 인재
002	㉠ 주형의 비유 ㉡ 성장의 비유 ㉢ 지식의 전달자 ㉣ 학생의 잠재 가능성 발현	005	㉠ 형평성 ㉡ 수월성 ㉢ 영재교육 활성화 / 수준별 반 편성 ㉣ 무상급식
003	㉠ 규범적 준거 ㉡ 인지적 준거 ㉢ 과정적 준거	006	㉠ 선택 ㉡ 고교학점제 ㉢ 참여 ㉣ 학생자치회

Chapter 02 교육의 역사

번호	정답	번호	정답
007	㉠ 구술면접 ㉡ 암기력 ㉢ 글짓기 / 논술 ㉣ 표현력	011	㉠ 반문법 ㉡ 산파술
008	㉠ 개별 맞춤형 교육 ㉡ 완전학습 ㉢ 흥미 / 동기	012	㉠ 자유 시민으로서 자유를 누리고 선용하는 능력을 기르기 위한 교육 ㉡ 무지 ㉢ 내재적
009	㉠ 과거제 ㉡ 학무아문 ㉢ 홍범 14조 ㉣ 교육입국조서	013	㉠ 기독교 ㉡ 스콜라 철학 ㉢ 기사도 교육 ㉣ 길드
010	㉠ 휴머니즘 ㉡ 코스모스 ㉢ 자유교육	014	㉠ 고대 그리스의 학예와 철학에서 추구했던 인문주의를 부활·재생하자는 운동 ㉡ 개성 / 흥미 ㉢ 사회 개혁

번호	정답	번호	정답
015	㉠ 대중교육 ㉡ 직업교육	017	㉠ 고전의 실생활 응용 · 활용 ㉡ 실생활 ㉢ 시청각교육
016	㉠ 경험적 / 구체적 / 실제적 ㉡ 실제적 내용 ㉢ 자연과학 교과 ㉣ 실천 / 행동	018	㉠ 자연의 법칙 ㉡ 주정주의적 ㉢ 전인교육

Chapter 03 교육철학

번호	정답	번호	정답
019	㉠ 관념론 ㉡ 실재론 ㉢ 강의식 ㉣ 실험식 / 탐구식	025	㉠ 사회적 자아의 실현 ㉡ 협동학습 ㉢ 문제해결학습
020	㉠ 자연의 법칙(질서) ㉡ 언제나 변화	026	㉠ 주체성을 가진 참다운 자아의 회복 ㉡ 만남
021	㉠ 아동의 흥미와 욕구를 충족하면서 아동의 전인적 · 계속적 성장 도모 ㉡ 문제해결학습 ㉢ 협동학습	027	㉠ 분석철학 ㉡ 내재적 ㉢ 지식의 형식
022	㉠ 흥미 / 욕구 ㉡ 개별 맞춤형 수업 ㉢ 기초학력 저하	028	㉠ 현대 사회의 구조적 모순을 극복하면서 인간을 해방 ㉡ 의사소통 ㉢ 문제제기식 교육
023	㉠ 본질주의 ㉡ 민족적 경험이 엄선되어 체계화된 문화유산 ㉢ 학습자의 적극적인 학습 참여 유도	029	㉠ 상대적 인식론 ㉡ 지역별 · 학교별로 다양하게 개발 및 운영 ㉢ 협동학습 / 자기주도적 학습
024	㉠ 모든 인류가 소유해야만 하는 일반적 학습 ㉡ 기본 교양 ㉢ 강의식 수업	030	㉠ 전인교육을 통한 인간성의 발달 ㉡ 균형 ㉢ 포괄 ㉣ 연관

PART Ⅱ 교육과정

Chapter 01 교육과정의 이해

번호	정답	번호	정답
031	㉠ 규범성 ㉡ 수단성 ㉢ 교사 주도성 ㉣ 학습자 존중성	036	㉠ 국가 ㉡ 통일적으로 ㉢ 지역의 수요 / 지역의 특수성 ㉣ 자율성 / 행위주체성
032	㉠ 교과(지식) ㉡ 학습자 ㉢ 사회	037	㉠ 교육과정 편성·운영 지침 ㉡ 교사 ㉢ 자율권 ㉣ 특색 있는
033	㉠ 의도 / 계획 ㉡ 군집성 ㉢ 칭찬 ㉣ 권력	038	㉠ 학교의 특성 ㉡ 재량권 ㉢ 비용 ㉣ 교육 격차
034	㉠ 숨겨진 교육과정 ㉡ 의도 / 계획 ㉢ 자료망 ㉣ 동료망	039	㉠ 문서 ㉡ 교사가 실제로 전개한 실천적인 수업행위 ㉢ 경험 / 성취 / 태도
035	㉠ 가르칠만한 가치가 있고, 교육목표에도 부합하지만 공식적 교육과정에서 고의로 배제되어 학습할 기회를 가지지 못하는 교육내용 ㉡ 학습권 ㉢ 균형 있는 사회인재 육성	040	㉠ 가르친 교육과정 ㉡ 학습된 교육과정 ㉢ 평가된 교육과정 ㉣ 가르친 내용과 학습한 내용 간의 차이

Chapter 02 교육과정의 역사

번호	정답	번호	정답
041	㉠ 언제 어디서나 적용 가능(일반화) ㉡ 교육과정의 방향성 ㉢ 탈맥락성	043	㉠ 학습자 스스로가 자신의 교육경험을 자아성찰하면서 자신의 실존성을 회복하는 것 ㉡ 자유연상 ㉢ 관계성 ㉣ 의미
042	㉠ 학습자의 실존성 ㉡ 지배계층의 이익 / 불평등한 사회구조 ㉢ 예술	044	㉠ 사전에 구체적인 행동 용어 ㉡ 부수적·잠재적 ㉢ 도덕성 등 정의적 측면

Chapter 03 교육과정의 유형

번호	정답	번호	정답
045	㉠ 형식도야론(능력심리학) ㉡ 이성과 합리성의 계발 ㉢ 고전 교과	053	㉠ 활동형 ㉡ 생성형 ㉢ 통합
046	㉠ 세분화 / 명확히 구분 ㉡ 공통 부문 ㉢ 공통 요인 ㉣ 통합	054	㉠ 실생활 ㉡ 흥미 / 학습 참여 ㉢ 기초학력 저하 ㉣ 시간
047	㉠ 강의식 ㉡ 교과서 ㉢ 흥미 / 관심 ㉣ 교과서 외 내용(지식)	055	㉠ 학습자의 자아실현 ㉡ 따스한 태도 / 긍정적 태도 ㉢ 전인성의 원리
048	㉠ 학습자의 지력을 계발 ㉡ 학문을 구성하고 있는 근본적인 개념과 원리 ㉢ 경제성 ㉣ 생성력	056	㉠ 인지적 구성주의 ㉡ 사회적 구성주의 ㉢ 인지적 역량 ㉣ 사회적 상호작용
049	㉠ 계속성 ㉡ 계열성 ㉢ 나선형의 형태 ㉣ 추상적 상징(언어)	057	㉠ 절대성 ㉡ 지식 변화에 능동적으로 대응 ㉢ 학습동기 / 학습참여 ㉣ 입시를 고려한 현실에서 비현실적
050	㉠ 지식의 구조 ㉡ 연계성 ㉢ 흥미	058	㉠ 학습자가 항상 직면하고 있는 생활 장면 ㉡ 생활인 ㉢ 학업 스트레스
051	㉠ 논술할 수 있다. ㉡ 책을 보지 않고 ㉢ 수락 기준	059	㉠ 통합 / 연계 ㉡ 상호관련성 ㉢ 비체계적 ㉣ 기본 내용 / 기본 지식
052	㉠ 아동의 흥미를 고려한 교육을 통해 논리적 지식에 접근시켜 아동을 계속적으로 성장 ㉡ 토의토론 학습 ㉢ 프로젝트 학습	060	㉠ 공동체 역량 ㉡ 지식정보처리 역량 ㉢ 자기관리 역량

Chapter 04 교육과정의 개발

번호	정답	번호	정답
061	㉠ 교육의 질 ㉡ 지역·학교별 특수성 ㉢ 교사의 역량	071	㉠ 어디로 향하는지, 왜 학습해야 하는지 ㉡ 흥미와 동기
062	㉠ 교육목표 설정 ㉡ 학습경험 선정 ㉢ 계속성, 계열성, 통합성	072	㉠ 일반적으로 적용하기 곤란 ㉡ 숙의 ㉢ 민주성
063	㉠ 교과 전문가의 견해 ㉡ 학습자 ㉢ 교육철학 ㉣ 학습심리학	073	㉠ 문제해결목표 ㉡ 1만 원으로 가장 알맞은 식사 재료 구입하기 ㉢ 주어지지 않고 ㉣ 친구들과 벽화 그리기
064	㉠ 가능성의 원칙 ㉡ 일 경험 다 목표의 원칙	074	㉠ 교육적 상상력 ㉡ 학습목표 ㉢ 순서 ㉣ 보충자료
065	㉠ 반복 ㉡ 더 깊어지고 넓어지도록 ㉢ 여러 교과에서 다루어짐	075	㉠ 동영상 / 그래픽 ㉡ 시적인 진술, 은유
066	㉠ 수업의 방향 ㉡ 부수적 / 확산적 ㉢ 정의적	076	㉠ 교육적 감식안 ㉡ 공식적 언어로 표현하는 표출술 ㉢ 실제 상황에서의 문제해결력
067	㉠ 교사 ㉡ 직무동기 / 사기 ㉢ 학교상황에 맞는 교육과정을 개발하고 운영하는 것	077	㉠ 신속한 대응 ㉡ 학습자 특성에 맞는 교육 ㉢ 사회에서 필요로 하는
068	㉠ 요구 진단 ㉡ 내용의 정확성 ㉢ 목표와의 부합성 ㉣ 학습자의 학습 가능성	078	㉠ 교과서 내용의 순서를 변경하거나 내용을 추가·삭제하는 것 ㉡ 기존의 교과를 통합하여 새롭게 재조직하는 것 ㉢ 교과와 창의적 체험활동을 연계
069	㉠ 영속적 이해 ㉡ 루브릭 ㉢ WHERETO	079	㉠ 교육과정을 읽고 쓰는 능력 ㉡ 전문적 학습 공동체 ㉢ 교과 협의회
070	㉠ 학습자들이 비록 아주 상세한 것들은 잊어버린 후에도 머리에 남아 있는 큰 원리 혹은 중요한 이해 ㉡ 보편성 ㉢ 매력	080	㉠ 상황분석 ㉡ 학습자의 적성과 능력 / 교사의 능력과 가치관 ㉢ 학생상담 / 교사상담 ㉣ 지역사회 연계활동 / 마을 교육 공동체 활동 / 학교 운영위원회 운영

번호	정답	번호	정답
081	㉠ 내재적 가치가 있는 문화유산 ㉡ 구체적 목표 설정 ㉢ 학습자의 역량 발달	086	㉠ 내용 요소의 연결 ㉡ 수직적 연계 ㉢ 수평적 연계
082	㉠ 복잡성 ㉡ 종합 ㉢ 내면화	087	㉠ 중요성 ㉡ 목표 ㉢ 학습자의 수준
083	㉠ 타당성 ㉡ 확실성 ㉢ 흥미	088	㉠ 정체성 ㉡ 관련되는 내용을 추출 ㉢ 주체적인
084	㉠ 범위 ㉡ 학습 내용의 가치 / 중요성 ㉢ 학습자의 수준 ㉣ 사회문화적 이념, 가치	089	㉠ 연수 ㉡ 수업사례 ㉢ 특별실
085	㉠ 순서 ㉡ 단순한 것에서 복잡한 것 ㉢ 사건의 연대기적 순서	090	㉠ 교육과정 분석 / 우수사례 참조 ㉡ 시간활용 방안, 교수 방법

Chapter 05 교육과정의 운영 및 평가

번호	정답	번호	정답
091	㉠ 학습자 존중의 원리 ㉡ 자율성의 원리 ㉢ 민주성의 원리	100	㉠ 계획 의사결정 ㉡ 상황평가
092	㉠ 충실도의 관점 ㉡ 형평성 ㉢ 상호적응의 관점 ㉣ 자율성	101	㉠ 실행 의사결정 ㉡ 참여·관찰하는 평가 ㉢ 설문조사
093	㉠ 형성·생성의 관점 ㉡ 학습 동기 ㉢ 기초학력 저하	102	㉠ 맞춤형 평가 방식 ㉡ 정보제공자 ㉢ 불분명
094	㉠ 교사의 관심 수준 ㉡ 교사들이 교육과정 개발에서 적극적 역할을 수행하지 못했기	103	㉠ 의도하지 않은 목표 ㉡ 외재적 가치 ㉢ 프로그램의 운영 성과를 다각적으로 관찰·기록하는 비비교평가
095	㉠ 운영 수준 ㉡ 우수사례 ㉢ 타 교사와의 협동 기회 / 연수 기회	104	㉠ 평가 영역을 확대 ㉡ 전문적 평가 ㉢ 타당도 ㉣ 신뢰도
096	㉠ 새로운 교육과정이 현장에서 실행되지 않는 원인 ㉡ 지원방안	105	㉠ 기술적 교육 비평 ㉡ 의미 ㉢ 종합적으로 판단
097	㉠ 주관 ㉡ 정의적 특성 ㉢ 이원목적 분류표	106	㉠ 학습자의 특성, 학교 환경 ㉡ 상호작용 ㉢ 교육 프로그램의 의도 ㉣ 표준
098	㉠ 전국 예술이음학교 학생만족도 조사 평균인 80점 ㉡ ○○학교의 만족도 점수인 70점 ㉢ 10점 ㉣ 협동적 문제해결과정	107	㉠ 프로그램에 대한 반응 ㉡ 관찰하고 이를 있는 그대로 기술
099	㉠ 교육 프로그램의 지속 여부 결정 등의 의사결정을 위한 기초자료를 획득 ㉡ 정보제공자		

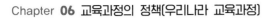

Chapter 06 교육과정의 정책(우리나라 교육과정)

번호	정답	번호	정답
108	㉠ 포용성과 창의성을 갖춘 주도적인 인재 ㉡ 배려, 소통, 공감, 공동체 의식 ㉢ 도전적인 태도 ㉣ 책임감	115	㉠ 학생이 스스로 과목을 선택하고 학점을 누적 취득하여 졸업하는 제도 ㉡ 학습 내용의 폭 ㉢ 학습 동기
109	㉠ 문해력 ㉡ 수리적 정보 ㉢ 올바른 윤리의식을 바탕으로 정보를 수집·분석하고 새로운 정보를 생산하는 능력	116	㉠ 사전 수요조사 ㉡ 학업계획서 작성 ㉢ 보충학습
110	㉠ 언어 소양 ㉡ 논증적 글쓰기 수업 ㉢ 토의토론 학습	117	㉠ 학업설계 상담자 ㉡ 교수학습 전문가 ㉢ 멘토
111	㉠ 책임감 ㉡ 적극적 태도 ㉢ 자기평가 ㉣ 학업계획서 작성	118	㉠ 삶의 주체 ㉡ 교육과정 재구성 ㉢ 학생중심의 수업 ㉣ 과정중심의 평가
112	㉠ 다문화 이해 교육 ㉡ 학교폭력 예방 교육 ㉢ 생태전환 교육	119	㉠ 토의토론 수업 ㉡ 협동학습 ㉢ 실험실습 학습 ㉣ 하브루타 수업
113	㉠ 학생 수요를 반영하여 한 학기 중 학교별 특색 있는 교육을 실시하는 1주의 시간 ㉡ 새로운 교과 ㉢ 활동 중심의 수업	120	㉠ 수업설계 및 전개 ㉡ 교육과정 재구성 ㉢ 구체적 평가 준거
114	㉠ 학습량을 적정화 ㉡ 배움과 삶을 일치 ㉢ 자기주도성		

PART III 교육방법

Chapter 01 교수학습 및 교육공학의 이해

번호	정답	번호	정답
121	㉠ 반복성 ㉡ 영속성 ㉢ 인지 · 정의적	127	㉠ 동시에 ㉡ 교사 ㉢ 둘 이상의 학습 결과
122	㉠ 학습자의 특성 ㉡ 방법변인 ㉢ 성과변인	128	㉠ 가정환경조사서 ㉡ 지필 진단평가 ㉢ 관찰과 면담
123	㉠ 통제 불가한 제약 조건 ㉡ 교과 목표 ㉢ 수업을 위한 기기 보유 여부, 교실 환경	129	㉠ 수업 목표(학습 목표) ㉡ 이전 차시를 요약 · 정리 ㉢ 시청각 자료
124	㉠ 교수전략 ㉡ 미시적 조직전략 ㉢ 거시적 조직전략	130	㉠ 설계 ㉡ 개발 ㉢ 직업윤리
125	㉠ 교육목표의 달성 정도 ㉡ 노력, 비용 대비 목표달성 정도 ㉢ 동기 유발의 정도	131	㉠ 메시지 디자인 ㉡ 학습자 특성
126	㉠ 목표설정 ㉡ 학습자의 선수학습 수준, 학습 동기 ㉢ 교과서의 내용을 수정 · 보완		

Chapter 02 교수학습이론

번호	정답	번호	정답
132	㉠ 강의식 ㉡ 결과 ㉢ 학생의 성장 정도	135	㉠ 분지형 ㉡ 즉각적 피드백 ㉢ 오랜 시간
133	㉠ 열린 학습환경 ㉡ 주체성 ㉢ 안내자, 조언자 ㉣ 전문가	136	㉠ 완전히 학습하는 데 필요한 시간 ㉡ 교수이해력 ㉢ 능동적으로 주의 집중하여 학습에 몰두한 시간 ㉣ 학습지속력
134	㉠ 스몰스텝의 원리 ㉡ 자기속도의 원리	137	㉠ 충분한 과제 시간을 부여 ㉡ 시청각 자료의 활용, 실생활과 관련한 과제의 제시

번호	정답	번호	정답
138	㉠ 학습활동을 계열화 / 교육과정을 재구성 ㉡ 학습단서(힌트)와 피드백	149	㉠ 학습에 대한 자신감 ㉡ 학습의 성공 기회 ㉢ 수업 통제 권한
139	㉠ 95% ㉡ 90% ㉢ 선수학습 과제 ㉣ 즉각적 피드백	150	㉠ 관련성 ㉡ 만족감
140	㉠ 기초학력 ㉡ 1수업 2교(강)사제 ㉢ 방과후·방학중 튜터링	151	㉠ 상대주의적 지식 ㉡ 실제적 활용 ㉢ 토의토론학습, 협동학습
141	㉠ 실사성 ㉡ 구속성	152	㉠ 문제중심학습 ㉡ 학습자중심학습 ㉢ 상호작용중심학습
142	㉠ 관련 정착지식 ㉡ 유의미한 학습태세 ㉢ 학습자의 적극적 학습참여	153	㉠ 코치 ㉡ 전문가 ㉢ 새로운 지식과 정보를 창출
143	㉠ 선행조직자 ㉡ 추상적·일반적·포괄적 ㉢ 주의집중 ㉣ 연속성	154	㉠ 인지적 구성주의 ㉡ 인지적 작용, 정신활동 ㉢ 상호작용 ㉣ 인지적 불평형 ㉤ 근접발달영역
144	㉠ 선행조직자의 원리 ㉡ 조화·통합 ㉢ 학습준비도의 원리	155	㉠ 포용성 ㉡ 창의성 ㉢ 자기주도성
145	㉠ 지식의 구조 ㉡ 가설 설정 ㉢ 학습자 스스로가 지식의 구조를 발견	156	㉠ 관련 사례 ㉡ 정보자원 ㉢ 인지적 도구 ㉣ 대화협력의 도구
146	㉠ 다양한 예시 ㉡ 질문 ㉢ 다양한 답들 간의 비교	157	㉠ 모델링 ㉡ 모니터링 ㉢ 힌트나 학습의 방향
147	㉠ 파지(습득) ㉡ 탐구식 ㉢ 조언자 / 조력자 / 안내자	158	㉠ 문제, 프로젝트 ㉡ 맥락성 ㉢ 표상성
148	㉠ 예시, 비유, 그림 ㉡ 빈칸 ㉢ 교수학습 방법을 변화	159	㉠ 명료화 ㉡ 반추 ㉢ 탐색

번호	정답	번호	정답
160	㉠ 복잡성 ㉡ 실제로 경험 ㉢ 비구조화성 ㉣ 실제 삶	171	㉠ 디지털 소양 ㉡ 지식정보처리 역량 ㉢ 정보리터러시 교육
161	㉠ 학습동기 ㉡ 자기주도성 ㉢ 학습자가 이해하는 데 어렵고 학습에 혼란 ㉣ 학습 격차	172	㉠ 적응력 있게 대처하는 능력 ㉡ 상황의존적인 스키마의 연합체 ㉢ 미디어
162	㉠ 교육 실제에 있어서 일의 계획과 수행 능력 ㉡ 자기관리 역량 ㉢ 지식정보 처리 역량	173	㉠ 주제중심의 원리 ㉡ 세분화의 원리 ㉢ 소규모 사례 제시의 원리
163	㉠ 계획 수립 ㉡ 평가 ㉢ 계획에 대한 샘플 ㉣ 평가의 기준	174	㉠ 다양한 지식 ㉡ 매체
164	㉠ 학습과 실생활을 연계 ㉡ 실제 사례 ㉢ 지식의 전이	175	㉠ 모방 ㉡ 새로운 지식을 창출 ㉢ 탐색
165	㉠ 맥락정착적 교수이론(앵커드 수업 모형) ㉡ 전이 ㉢ 흥미(동기)	176	㉠ 모델링 ㉡ 코칭 ㉢ 스캐폴딩
166	㉠ 실제적 목적 ㉡ 복잡 ㉢ 비디오	177	㉠ 단계적 ㉡ 합법적 주변 참여 ㉢ 공동체의 성장
167	㉠ 지식정보처리 역량 ㉡ 위치확인 ㉢ 분석과 이해 ㉣ 보고 및 제시	178	㉠ 문해력 ㉡ 예견하기 ㉢ 질문하기 ㉣ 요약하기
168	㉠ 교과서, 백과사전 ㉡ 전자적 ㉢ 환경적	179	㉠ 근접발달영역 ㉡ 언어소양 ㉢ 우수한 학습자를 선정 ㉣ 일반화
169	㉠ 적용 ㉡ 어디에 있는지 소재를 파악하는 것 ㉢ 실제로 정보를 찾는 것	180	㉠ 미션(임무) ㉡ 표지이야기 ㉢ 피드백
170	㉠ 학습경험 ㉡ 자기주도성 ㉢ 부정확하거나 비윤리적인 ㉣ 학습격차		

Chapter **03** 교수설계

번호	정답	번호	정답
181	㉠ 체제적 ㉡ 종합적이고 유기적으로 상호작용 ㉢ 상황 ㉣ 종합적	192	㉠ 미시적 ㉡ 개념 획득 ㉢ 개념 적용 ㉣ 개념 이해
182	㉠ 학습과제, 학습자 특성, 학습환경 ㉡ 구체적 행동목표 ㉢ 개발	193	㉠ 가장 전형적인 예시 ㉡ 연습 문제 ㉢ 피드백
183	㉠ 바람직한 상태와 현재 상태 간의 격차 ㉡ 자원명세서 조사 ㉢ 설문조사	194	㉠ 복잡한 내용 ㉡ 단일한 내용 ㉢ 내용수행행렬표
184	㉠ 지식, 기능, 태도 ㉡ 군집분석 ㉢ 위계분석	195	㉠ 사실 ㉡ 개념 ㉢ 절차 ㉣ 원리
185	㉠ 지필 진단평가 ㉡ 관찰과 면담 ㉢ 가정환경조사서(학부모 상담)	196	㉠ 맥락 ㉡ 선수학습 지식 ㉢ 기억술
186	㉠ 학습자의 선수학습 능력, 학습 동기 ㉡ 강화의 원리 ㉢ 접근의 원리 ㉣ 연습문제, 복습과제	197	㉠ 기회의 원칙 ㉡ 발달 수준, 능력 ㉢ 만족의 원칙
187	㉠ 주의 획득 ㉡ 수업 목표 제시 ㉢ 선택적 지각 ㉣ 수업의 연속성	198	㉠ 시청각 자료의 활용 ㉡ 학습자의 특성 ㉢ 실생활과 관련한 후속과제
188	㉠ 학습안내 ㉡ 의미적 부호화 ㉢ 연습 기회	199	㉠ 요구분석, 학습자 분석, 환경분석 ㉡ 교수전략과 매체 ㉢ 효과성
189	㉠ 지적기능 ㉡ 신호학습 ㉢ 고차원규칙학습	200	㉠ 구체적 행동 용어 ㉡ 학습자 수준 ㉢ 매체
190	㉠ 기억·사고하는 능력 ㉡ 조직화 ㉢ 리허설	201	㉠ 학습과제 ㉡ 목표 유형
191	㉠ 정교화된 계열화 ㉡ 선수학습능력 계열화 ㉢ 요약자 ㉣ 종합자	202	㉠ 성취 행동 ㉡ 조건 ㉢ 준거

번호	정답	번호	정답
203	㉠ 학습이론과 연구 결과 ㉡ 교수매체 ㉢ 학습자 맞춤형 교수전략	205	㉠ 개발된 수업 프로그램의 지속적인 사용 여부 ㉡ 외부 평가자
204	㉠ 소집단 평가 ㉡ 일대일 평가 ㉢ 학습자 특성과의 부합성 ㉣ 목표의 적절성	206	㉠ 구성주의 ㉡ 설계 과정 중

Chapter 04 교수매체에 대한 이해

번호	정답	번호	정답
207	㉠ 학습 내용에 대한 이해도 ㉡ 학습 동기 ㉢ 주의집중	212	㉠ 학습자 분석 ㉡ 매체와 자료 선정 ㉢ 수업 직전의 사항을 검토 ㉣ 학습자 참여 유도
208	㉠ 전통적인 수업방식과 새로운 매체를 사용한 수업 방식의 효과성을 비교하는 연구 ㉡ 교수방법의 변화 ㉢ 신기성	213	㉠ 타당성 ㉡ 구입 비용 ㉢ 정확성 ㉣ 흥미유발성
209	㉠ 통신기술 ㉡ 태도 ㉢ 지식수준	214	㉠ 사전 검토 ㉡ 계열화 ㉢ 환경 준비 ㉣ 학습자 준비
210	㉠ 경험의 장 ㉡ 소음	215	㉠ 피드백 ㉡ 연습의 기회
211	㉠ 학습자 주도적 ㉡ 탐구활동		

Chapter 05 교수학습 실행

번호	정답	번호	정답
216	㉠ 학습자의 흥미를 유발 ㉡ 자료제시 방식을 변화시키거나 질의응답을 강화	218	㉠ 원탁토론 ㉡ 학습자의 참여 ㉢ 포용성
217	㉠ 학습 참여를 유도 ㉡ 고등정신 사고 능력 ㉢ 무작위 뽑기 ㉣ 충분히 생각할 시간	219	㉠ 긍정적 상호의존성 ㉡ 개별책무성 ㉢ 역할

220	⊙ STAD모형 ⓒ TGT모형 ⓒ 개별 책무성 ⓔ 평가부담	224	⊙ 부익부 빈익빈 현상 ⓒ 무임승차 효과 ⓒ 봉효과
221	⊙ 개별 책무성 ⓒ 파지 ⓒ 상호의존성	225	⊙ 학습자의 적성 ⓒ 수업 처치 ⓒ 선행연구, 수업사례
222	⊙ 선택 ⓒ 분담 ⓒ 팀 동료에 의한 동료평가 ⓔ 관찰평가	226	⊙ 자발적 의사에 따라 선택하고 결정하여 학습하는 　형태 ⓒ 모델링 ⓒ 성취동기 ⓔ 메타인지
223	⊙ 자기주도성 ⓒ 학습의 방향 ⓒ 개인 간, 집단 간 의견 갈등	227	⊙ 발견학습 ⓒ 실생활 문제해결능력 ⓒ 열린 형태, 복잡성을 가진

Chapter 06 디지털 대전환시대 새로운 교수학습법

번호	정답	번호	정답
228	⊙ 학습 내용 전달 시간을 단축 ⓒ 개인교수형 ⓒ 시뮬레이션형	233	⊙ 메타버스 교실 수업 ⓒ 학습자 ⓒ 교육의 장
229	⊙ 컴퓨터지원 협력학습(위키기반 수업) ⓒ 학습자의 인지적 학습경험 ⓒ 학습의 흥미도	234	⊙ 학습자 ⓒ 물적 조건 ⓒ 전문성
230	⊙ 실시간 쌍방향 수업 ⓒ 콘텐츠 활용중심 수업 ⓒ 과제중심 수업	235	⊙ 학생들끼리 짝을 이루어 서로 질문을 주고받으며 　논쟁하는 토론 교육 ⓒ 근접발달영역 ⓒ 포용성
231	⊙ 시공간적 제약 ⓒ 학습동기 ⓒ 즉각적 피드백 ⓔ 종속화	236	⊙ 팀티칭 ⓒ 전반부와 후반부 ⓒ 순회
232	⊙ 거꾸로 수업(플립드 러닝) ⓒ 개별 맞춤형 수업 ⓒ 고등정신 사고 능력		

PART Ⅳ 교육평가 및 교육연구방법론

Chapter 01 교육평가의 이해

번호	정답	번호	정답
237	㉠ 측정관 ㉡ 객관적 ㉢ 정의적 영역	242	㉠ 평가의 목적 ㉡ 상대평가(규준참조평가) ㉢ 절대평가(준거참조평가) ㉣ 세부 문항
238	㉠ 학생 성장의 정도 ㉡ 과정중심평가 ㉢ 구인타당도	243	㉠ 성취기준 ㉡ 과정중심의 원칙 ㉢ 균형의 원칙
239	㉠ 선발적 교육관 ㉡ 발달적 교육관 ㉢ 규준참조평가 ㉣ 준거참조평가	244	㉠ 전반적 인상, 품성, 배경에 대한 선입견 ㉡ 블라인드 평가 ㉢ 집단 평가
240	㉠ 학습에 대한 평가 기능(총괄적 기능) ㉡ 학습으로서의 평가 기능(형성적 기능으로서 발달적 기능) ㉢ 학습을 위한 평가 기능(형성적 기능으로서 처방적 기능)	245	㉠ 논리적 오류 ㉡ 적절한 시간 간격
241	㉠ 평가에 대한 평가 ㉡ 평가의 실용성 ㉢ 평가의 적합성		

Chapter 02 교육평가의 유형

번호	정답	번호	정답
246	㉠ 법칙을 발견하거나, 평가 대상을 서열화 ㉡ 우수한 학생을 선발 ㉢ 수량화하기 힘든 영역	249	㉠ 형성평가 ㉡ 질의응답 ㉢ 쪽지시험
247	㉠ 상담, 관찰평가 ㉡ 정의적 ㉢ 학생의 성장 과정	250	㉠ 교수학습이 완료된 시점에 목표의 달성 여부를 종합적으로 평가 ㉡ 교사가 수업 중 가르친 내용 ㉢ 고차원적 사고
248	㉠ 학습자 맞춤형 수업전략 ㉡ 배치 ㉢ 학습동기 ㉣ 선수학습 수준	251	㉠ 경쟁 ㉡ 상대적 위치 ㉢ 외재적 ㉣ 스트레스

번호	정답	번호	정답
252	⊙ 범위와 수준 ⓒ 상호 협동 ⓒ 최저 목표 수준(성취 수준)	257	⊙ 내재적 ⓒ 평가 부담 ⓒ 타당도, 신뢰도
253	⊙ 능력참조평가 ⓒ 학습동기 ⓒ 신뢰도	258	⊙ 학생과 협동 ⓒ 모니터링하고 피드백
254	⊙ 이전과 비교한 학생의 성장 정도 ⓒ 종합적인 성장의 과정 ⓒ 교육적 효과	259	⊙ 역동적 상호작용 ⓒ 발달잠재력 ⓒ 학습으로서의 평가
255	⊙ 종합적이고 심층적인 이해 ⓒ 관찰과 면담 ⓒ 체크리스트	260	⊙ 공정성 ⓒ 직접 관찰 가능한 것
256	⊙ 자기관리 ⓒ 자기평가 ⓒ 동료평가		

Chapter 03 교육평가의 선정과 활용

번호	정답	번호	정답
261	⊙ 직접 가르친 내용 ⓒ 학습자 수준 ⓒ 평가 목적	265	⊙ 0.5 ⓒ 쉬운 ⓒ 기울기 ⓐ 높다
262	⊙ 목적 ⓒ 적절성 ⓒ 명확성	266	⊙ 뺀 값 ⓒ 표준편차 ⓒ 1 ⓐ $50+10Z$
263	⊙ 평가자의 주관 ⓒ 블라인드 평가 ⓒ 루브릭	267	⊙ 측정하고자 하는 속성을 제대로 측정하였는지 ⓒ 교수타당도 ⓒ 교과타당도
264	⊙ 답을 맞힌 피험자 ⓒ 0.8 ⓒ 피험자의 수준을 변별하는 정도 ⓐ 높다	268	⊙ 조작적으로 정의 ⓒ 요인분석법

번호	정답	번호	정답
269	㉠ 공인타당도 ㉡ 기존에 검증된 검사가 없는	272	㉠ 재검사 신뢰도 ㉡ 기억효과(연습효과) ㉢ 동형검사 신뢰도 추정방법 ㉣ 내적 일관성 신뢰도 추정방법
270	㉠ 가치판단 ㉡ 시험 스트레스, 과도한 경쟁	273	㉠ 채점자 내 신뢰도 ㉡ 블라인드 평가 ㉢ 루브릭
271	㉠ 안정적 ㉡ 일관성 ㉢ 재검사 신뢰도 ㉣ 성장, 성숙	274	㉠ 편리한 정도 ㉡ 교과별 시수, 수업일수 ㉢ 평가 비용

Chapter 04 수행평가

번호	정답	번호	정답
275	㉠ 컴퓨터화 능력 적응 검사(CAT) ㉡ 즉각적 피드백 ㉢ 부정행위 발생 ㉣ 알고리즘	280	㉠ 본질적 ㉡ 종합적 ㉢ 오랜 시간 ㉣ 도구, 기준
276	㉠ 활용 ㉡ 문제를 해결하고, 산출물을 생산	281	㉠ 성취기준 ㉡ 교사 관찰 평가 ㉢ 자기평가
277	㉠ 지필형 ㉡ 구술·면접 평가, 토의토론의 과정을 관찰하는 평가 ㉢ 자기평가, 동료평가	282	㉠ 학습자 ㉡ 학습 참여도 ㉢ 전인적
278	㉠ 총괄적 ㉡ 채점시간이 빠르고 용이 ㉢ 신뢰도	283	㉠ 포트폴리오 평가 ㉡ 반성
279	㉠ 일관성 ㉡ 구체적이고 명백 ㉢ 기본적인 측면		

Chapter 05 교육연구방법론

번호	정답	번호	정답
284	㉠ 수량화, 객관화 ㉡ 법칙 ㉢ 이해	287	㉠ 리커트 척도법 ㉡ 수치화 ㉢ 의미분화척도
285	㉠ 설문조사(질문지법) ㉡ 많은 정보 ㉢ 회수율	288	㉠ 인과관계 ㉡ 성숙 ㉢ 선발 ㉣ 무작위 배정
286	㉠ 사회성 측정법 ㉡ 변동성 ㉢ 비공개	289	㉠ 일반화 ㉡ 대표성 ㉢ 무작위 ㉣ 이질적

PART V 교육심리 및 생활지도 · 상담

Chapter 01 학습자에 대한 이해

번호	정답	번호	정답
290	㉠ 일반지능요인(g요인) ㉡ 특수지능요인(s요인)	299	㉠ 자발적 의사에 따라 스스로 선택하고 결정하는 능력 ㉡ 주체적 성장 ㉢ 주도적 인재
291	㉠ 유전적 요인 ㉡ 결정적 지능 ㉢ 꾸준히 발달	300	㉠ 선택 ㉡ 프로젝트 학습 ㉢ 자기평가
292	㉠ 가치 있는 물건을 창조하거나 문제를 해결할 수 있는 잠재력 ㉡ 언어지능 ㉢ 대인관계 지능	301	㉠ 모델링 ㉡ 학습자 수준에 맞는 과제 ㉢ 학업계획서
293	㉠ 메타요소, 수행요소, 지식습득 요소 ㉡ 창의적 지능 ㉢ 선택, 적응, 조성	302	㉠ 분석적인 ㉡ 동료와 함께 ㉢ 시험 ㉣ 칭찬 / 보상
294	㉠ 새롭고 적정한 것을 생성해내는 능력 ㉡ 독창성 ㉢ 도전적 태도	303	㉠ 정보지각방식 ㉡ 성찰 ㉢ 활동적 실험 ㉣ 수렴형
295	㉠ 배양 ㉡ 영감 ㉢ 기본적인 정보, 사례 ㉣ 충분한 시간 ㉤ 검증의 기준	304	㉠ 상대적 위치 ㉡ 가정환경 조사서 ㉢ 학생 상담
296	㉠ 브레인스토밍 ㉡ 비판적 평가 금지 ㉢ 질 보다 양 중시 ㉣ 결합과 개선을 통한 발전	305	㉠ 효율적인 교육 ㉡ 고등정신 사고능력 ㉢ 매칭 / 선정
297	㉠ 흥미로운 부분 ㉡ 고정관념 ㉢ 대체, 결합, 적용, 수정	306	㉠ 망각 ㉡ 인내심 ㉢ 과업 ㉣ 행동계획표
298	㉠ 6색 사고모(six-hat) ㉡ 자유로운 표현 ㉢ 시네틱스(synetics) ㉣ 새로운		

Chapter **02** 학습자의 동기

번호	정답	번호	정답
307	㉠ 상태 불안 ㉡ 주의집중도 ㉢ 학습동기	314	㉠ 자기결정력 ㉡ 성공 경험 ㉢ 관계성 ㉣ 선택
308	㉠ 학습 그 자체 ㉡ 학습의 지속성 ㉢ 정보적 ㉣ 도전 의식	315	㉠ 다양한 핑계를 들어 변명 ㉡ 비현실적 목표 ㉢ 귀인 설정 ㉣ 환류(피드백)
309	㉠ 추동 ㉡ 습관 강도	316	㉠ 숙달목표 ㉡ 수행접근목표
310	㉠ 외부 / 타인 ㉡ 가능 ㉢ 사회적 욕구 ㉣ 존재의 욕구	317	㉠ 도전적이고 어려운 과제를 성공적으로 수행하려는 　욕구 ㉡ 과제 난이도 ㉢ 노력
311	㉠ 외부 요인 ㉡ 불안정적 ㉢ 통제 불가능한	318	㉠ 구체적 ㉡ 실용적 ㉢ 흥미로운
312	㉠ 노력귀인 ㉡ 학습방법이나 전략 ㉢ 새로운 길	319	㉠ 학습된 무기력 ㉡ 성공기회 ㉢ 노력－전략－포기 귀인
313	㉠ 어떤 과제를 성공적으로 실행하는 자신의 능력에 　대한 지각 ㉡ 성공경험 ㉢ 모델링		

Chapter 03 학습자의 발달

번호	정답	번호	정답
320	㉠ 미시체계 ㉡ 중간체계 ㉢ 거시체계	326	㉠ 전념 ㉡ 위기 ㉢ 정체성 유예
321	㉠ 도식 ㉡ 적응과 조직 ㉢ 조작	327	㉠ 의사소통능력, 공동체 의식, 준법의식 ㉡ 가정환경 ㉢ 협동심 / 포용성 ㉣ 규범
322	㉠ 추상적 사고 ㉡ 가설연역적 추리 ㉢ 반성적 추상화	328	㉠ 타인의 입장에서 자신의 행동을 바라보면서 타인의 의도, 태도, 감정 등을 추론하는 능력 ㉡ 상호적
323	㉠ 교사의 지도, 동료와의 협동을 통해 성공적으로 문제를 해결할 수 있는 영역 ㉡ 모델링 ㉢ 소리 내어 생각하기 ㉣ 수업자료 조정하기	329	㉠ (하인츠씨) 딜레마 ㉡ 토론식 도덕 교육 ㉢ 성차별 / 남성중심
324	㉠ 본능적 충동 ㉡ 자아 ㉢ 초자아 ㉣ 리비도	330	㉠ 배려 ㉡ 책임감 ㉢ 비폭력 도덕성
325	㉠ 심리사회적 위기 ㉡ 정체감 대 역할 혼미 ㉢ 자아정체감 ㉣ 반복		

Chapter 04 교수학습의 이해

번호	정답	번호	정답
331	㉠ 증가 ㉡ 정적 강화 ㉢ 제거 ㉣ 좋아하는 행동	333	㉠ 주의집중 ㉡ 파지 ㉢ 재생산 ㉣ 동기화
332	㉠ 교정(소거) ㉡ 스트레스 / 공포심 ㉢ 행동 직후 ㉣ 대안	334	㉠ 인지도 ㉡ 잠재적인 형태

번호	정답	번호	정답
335	㉠ 파지 ㉡ 정교화 ㉢ 조직화 ㉣ 심상	338	㉠ 영향 ㉡ 적용 ㉢ 이해도 / 기억의 정도 ㉣ 유사성 / 연계성
336	㉠ 회상 ㉡ 재인 ㉢ 숙고의 시간 ㉣ 사전검토	339	㉠ 교사 요인이 학업성취에 얼마나 영향을 미칠 수 있는지에 대한 지각 ㉡ 일반적 ㉢ 개인적 ㉣ 교수 방법 ㉤ 직무동기
337	㉠ 계획, 점검, 조절, 평가 ㉡ 직접 시범 ㉢ 체크리스트 ㉣ 연습의 기회		

Chapter 05 생활지도 및 상담

번호	정답	번호	정답
340	㉠ 개별성 존중과 수용 ㉡ 학습자 스스로 문제를 해결할 수 있는 능력 ㉢ 자아실현	345	㉠ 보상 ㉡ 합리화
341	㉠ 모든 학생 ㉡ 학생 조사활동 ㉢ 상담 활동	346	㉠ 수용 ㉡ 공감적 이해 ㉢ 목적 ㉣ 라포
342	㉠ 심리검사 ㉡ 교과 연계 진로지도 ㉢ 모델링 ㉣ 진로·직업 체험처	347	㉠ 열등감 ㉡ 동기 ㉢ 생의 목표와 생활 양식 ㉣ 공동체감
343	㉠ 농업인 / 기술직 ㉡ 연구개발직 ㉢ 사회형 ㉣ 관습형	348	㉠ 비합리적 신념 ㉡ 논박
344	㉠ 사회적 요인 ㉡ 사회경제적 지위 ㉢ 교사·동료 학생과의 관계	349	㉠ 충분히 기능하는 인간 ㉡ 보조자

PART VI 교육행정

Chapter 01 교육행정 총론

번호	정답	번호	정답
350	㉠ 봉사적(조성적) ㉡ 민주성 ㉢ 합법성	352	㉠ 효율성 ㉡ 민주성 ㉢ 외적
351	㉠ 계층제 ㉡ 분업화 ㉢ 문서화 ㉣ 법규성	353	㉠ 체계적이면서도 총체적인 ㉡ 개방체제 ㉢ 법규 ㉣ 사회 문화

Chapter 02 동기이론

번호	정답	번호	정답
354	㉠ 외부 ㉡ 가능 ㉢ 자아실현 욕구 ㉣ 동시에	357	㉠ 기대치 ㉡ 수단성 ㉢ 유인가
355	㉠ 높은 만족 ㉡ 인정, 존경, 교수활동 그 자체 ㉢ 직무 환경, 조건	358	㉠ 공정성 유무 ㉡ 투입 대비 성과 ㉢ 투입의 조정 ㉣ 비교 대상의 변경
356	㉠ 동시 발생 가능성 ㉡ 퇴행 가능성	359	㉠ 구체적인 과업과 전략 ㉡ 도전 의식 ㉢ 기대감 ㉣ 주의집중

Chapter 03 지도성이론

번호	정답	번호	정답
360	㉠ 교실 구성원인 학생들에게 영향력을 행사하는 과정 ㉡ 교직관, 교사 동기, 수업 능력 등 ㉢ 학급 경영 전략과 행동, 수업 운영 전략과 행동	362	㉠ 상황의 호의성 ㉡ 지도자와 구성원의 관계 ㉢ 세분화, 체계화 ㉣ 지위권력
361	㉠ 높다 ㉡ 낮다 ㉢ 인화지향적	363	㉠ 직무성숙도 ㉡ 직무에 대한 동기, 애착, 헌신

번호	정답	번호	정답
364	⊙ 대용 ⓒ 억제 ⓒ 능력과 경험 ⓔ 구조화	367	⊙ 문화적 지도성 ⓒ 성직자 ⓒ 통합
365	⊙ 수평적, 쌍방향 ⓒ 내적 ⓒ 적극적 ⓔ 회피	368	⊙ 분산적 지도성 ⓒ 협력과 책임감 ⓒ 카리스마 지도성 ⓔ 신속하게
366	⊙ 초우량 지도성(슈퍼 리더십) ⓒ 맞춤형 교육 ⓒ 미래 인재		

Chapter 04 조직론

번호	정답	번호	정답
369	⊙ 조직 분위기 ⓒ 갈등이 예방 ⓒ 파벌	375	⊙ 인간 ⓒ 성과 ⓒ 실적문화 ⓔ 통합문화
370	⊙ 유형유지조직 ⓒ 창조, 보존, 전달 ⓒ 봉사조직 ⓔ 학생, 학부모	376	⊙ 도구적 차원 ⓒ 표현적 차원 ⓒ 복지주의자 ⓔ 온실
371	⊙ 선택 ⓒ 없다 ⓒ 사육조직	377	⊙ 개방풍토 ⓒ 폐쇄적 ⓒ 무시 ⓔ 잡무
372	⊙ 불분명한 목표 ⓒ 불확실한 기술 ⓒ 유동적인 참여	378	⊙ 학교가 학생을 통제하는 방식 ⓒ 인간주의적 학교 ⓒ 보호지향적 학교
373	⊙ 교육과정 재구성, 교수학습방법 개선 연구 ⓒ 교육 실천 및 결과 공유 ⓒ 교육의 질 ⓔ 조직 분위기	379	⊙ 조직 혁신 ⓒ 조직의 응집력 ⓒ 직무 동기
374	⊙ 자기 숙련 ⓒ 비전 ⓒ 시스템적 사고 ⓔ 팀 / 협동학습		

Chapter 05 의사소통

번호	정답	번호	정답
380	⊙ 수평적 의사소통 ⓒ 성향 차이 ⓒ 조직 문화 및 풍토	382	⊙ 적절성 ⓒ 경험과 능력 ⓒ 높다 ⓔ 최종 의사결정 시
381	⊙ 자신과 타인에게 알려진 정도 ⓒ 민주형(개방영역) ⓒ 쌍방향적이고 적극적	383	⊙ 갈등적 상황 ⓒ 교육자 ⓒ 전문가 상황 ⓔ 개인자문 ⓜ 간청자

Chapter 06 교육행정 실제

번호	정답	번호	정답
384	⊙ 수단과 방법 ⓒ 안정적 ⓒ 효율적 ⓔ 관리, 감독	390	⊙ 효과성 ⓒ 비용(노력) ⓒ 형평성
385	⊙ 민주성 ⓒ 효율성 ⓒ 사회수요 ⓔ 수익률	391	⊙ 20% 범위 ⓒ 학교 자율시간
386	⊙ 기획 이전 ⓒ 계획 형성	392	⊙ 교육경험 ⓒ 흥미와 학습 동기 ⓒ 교육자원지도 ⓔ 전문가 인력풀
387	⊙ 합리모형 ⓒ 시간과 자원이 제약된 상황에서 현실적으로 적용하기 곤란 ⓒ 만족모형 ⓔ 상황과 이해관계인에 따라 다르다	393	⊙ 컨트롤 타워 ⓒ 재원 ⓒ 장학 및 연수 ⓔ 학교 간 네트워크
388	⊙ 점증모형 ⓒ 수용도 ⓒ 혁신적인 대안	394	⊙ 기관 ⓒ 수용도 ⓒ 학교 및 교사 상황
389	⊙ 쓰레기통 모형 ⓒ 불분명 ⓒ 조직화된 무질서 ⓔ 우연히	395	⊙ 직무 동기 ⓒ 수용도 ⓒ 장학담당자

번호	정답	번호	정답
396	㉠ 마이크로티칭 ㉡ 공간적 제약 ㉢ 효율적 장학활동	401	㉠ 수요자 맞춤형 교육 ㉡ 성찰 ㉢ 직무 동기
397	㉠ 쌍방향 장학 ㉡ 직접적 ㉢ 개방적인 문화 ㉣ 전문성	402	㉠ 충분성 ㉡ 형평성 ㉢ 효율성 ㉣ 합법성
398	㉠ 멘토멘티교사 짝짓기 ㉡ 전문적 학습공동체 ㉢ 효율적	403	㉠ 제한 ㉡ 합법성 ㉢ 융통성
399	㉠ 컨설팅 장학 ㉡ 자발성 ㉢ 비용 ㉣ 전문적 컨설턴트 풀	404	㉠ 영 기준 예산제도 ㉡ 합리적 ㉢ 업무 부담
400	㉠ 신체상·정신상의 장애 ㉡ 노조 전임자 ㉢ 육아휴직	405	㉠ 천재지변 ㉡ 임시휴업 ㉢ 식중독

Chapter 07 학교 및 학급 경영

번호	정답	번호	정답
406	㉠ 참여의 과정 ㉡ 민주적 조직 운영 ㉢ 학교운영위원회	408	㉠ 인적·물적자원 ㉡ 민주성 ㉢ 효율성 ㉣ 교육철학
407	㉠ 심의·의결 ㉡ 책무성 ㉢ 대표성 ㉣ 형식성	409	㉠ 가정환경조사서, 상담, 이전 연도 학교생활기록부 ㉡ 인터넷 조사, 기관 방문

PART VII 교육사회

Chapter 01 교육사회학의 기본적 이해

번호	정답
410	㉠ 실제 문제 ㉡ 실제적 모습

Chapter 02 교육사회학 이론

번호	정답	번호	정답
411	㉠ 안정과 질서유지 ㉡ 기능상의 차이 ㉢ 차등적 보상과 권한 분배	419	㉠ 상징적 폭력 ㉡ 상대적 자율성
412	㉠ 사회화 ㉡ 인재선발 및 양성 ㉢ 수준별 교육	420	㉠ 주입 ㉡ 의식화 ㉢ 탐구 ㉣ 토론식
413	㉠ 보편사회화 ㉡ 특수사회화 ㉢ 도덕교육 ㉣ 모범적 사례	421	㉠ 학습망 ㉡ 자료망 ㉢ 동료망
414	㉠ 목표달성 ㉡ 통합 ㉢ 유형유지	422	㉠ 가치체계 ㉡ 비판의식
415	㉠ 사회화 ㉡ 안정화 ㉢ 성취성 ㉣ 보편성	423	㉠ 간파 ㉡ 제약
416	㉠ 불평등 재생산 ㉡ 순응적 노동자 ㉢ 수단 ㉣ 수동적	424	㉠ 거시적인 ㉡ 사회화 ㉢ 지배계급
417	㉠ 이념적 국가기구 ㉡ 지배계층의 이념	425	㉠ 개인 간의 상호작용 ㉡ 해석, 이해 ㉢ 질적 연구 방법
418	㉠ 개별 학생이 원래 속한 계급에 따라 서로 다른 규범과 성격적 특성을 내면화시키는 것 ㉡ 교육과정 ㉢ 졸업장 ㉣ 학년	426	㉠ 법칙화, 일반화 ㉡ 주관

번호	정답	번호	정답
427	㉠ 지시와 통제 ㉡ 다양한 교수법 ㉢ 자기주도적으로	431	㉠ 단편화 ㉡ 신비화 ㉢ 과소평가 ㉣ 왜곡
428	㉠ 낙관적 순응형 ㉡ 도구적 순응형 ㉢ 식민화 유형 ㉣ 반역형	432	㉠ 균형 있는 사회 발전 ㉡ 자아존중감 / 학습 동기
429	㉠ 정교화된 ㉡ 제한된 ㉢ 정교화된	433	㉠ 사회화 ㉡ 지배 ㉢ 친목 ㉣ 결근과 자리이동
430	㉠ 자율성 ㉡ 약 ㉢ 약 ㉣ 통합형 ㉤ 보이지 않는 교수법		

Chapter 03 교육과 평등

번호	정답	번호	정답
434	㉠ 학습욕구 ㉡ 기술·기능 ㉢ 인적 자본	439	㉠ 가정환경 ㉡ 보상교육
435	㉠ 한정된 지위를 둘러싼 경쟁에서 승리 ㉡ 졸업장 ㉢ 내용 ㉣ 부정적 측면	440	㉠ 의무교육 ㉡ 무상급식 ㉢ 고교평준화 ㉣ 지역균형 선발
436	㉠ 자유학교형 ㉡ 생태학교형 ㉢ 재적응학교 ㉣ 고유이념 추구형	441	㉠ 최소한의 성취기준 ㉡ 읽기·쓰기·셈하기
437	㉠ 경쟁적 이동 ㉡ 후원적 이동	442	㉠ 지능 / 선수학습 수준 / 문해력·수리력 ㉡ 가정의 지원 / 관심 수준 ㉢ 지필 진단평가 ㉣ 관찰과 면담
438	㉠ 개인의 교육 수준 ㉡ 개인의 능력 ㉢ 맞춤형 교육	443	㉠ 학습종합클리닉센터 ㉡ 1수업 2교(강)사제 ㉢ 보충수업

Chapter 04 교육과 경쟁

번호	정답	번호	정답
444	㉠ 발달적 ㉡ 규준참조평가(상대평가) ㉢ 조기선발	447	㉠ 타당성 ㉡ 경쟁의식 ㉢ 학교 자율성 ㉣ 효율성
445	㉠ 중앙집권형 ㉡ 만기선발 ㉢ 보편주의 ㉣ 개인주의	448	㉠ 학생에 대한 교사의 기대 / 교사의 교수역량 ㉡ 교육 기자재 / 교실환경
446	㉠ 책무성 ㉡ 학습 동기 ㉢ 고등정신 사고 능력 ㉣ 시험 스트레스	449	㉠ 자기주도적 학습능력 ㉡ 부모의 조력 여하 / 학생에 대한 관심

Chapter 05 교육과 문화

번호	정답	번호	정답
450	㉠ 빠르게 변화하는 물질 문화에 비해 정신적 문화가 따라가지 못하는 현상 ㉡ 교사의 초상권을 침해하는 행위	452	㉠ 아노미 ㉡ 학생 상담
451	㉠ 규범 ㉡ 애착 ㉢ 또래법정 운영 / 공동 규칙 만들기 ㉣ 학부모 상담, 부모·학생 참여 프로그램	453	㉠ 스스로 자신을 비행 학생 ㉡ 모방

Chapter 06 평생교육과 다문화교육

번호	정답	번호	정답
454	㉠ 태어나서 죽을 때 ㉡ 모든 사회 공간 ㉢ 지속적인	456	㉠ 샐러드 볼 ㉡ 용광로
455	㉠ 전체성 ㉡ 통합성 ㉢ 융통성 ㉣ 민주성		

최원휘 SELF 교육학

핵심개념 456
모범답안 & 빈칸암기노트

초판인쇄 | 2024. 5. 3. **초판발행** | 2024. 5. 10. **저자** | 최원휘

발행인 | 박 용 **발행처** | (주)박문각출판 **등록** | 2015년 4월 29일 제2015-000104호

주소 | 06654 서울특별시 서초구 효령로 283 서경 B/D **팩스** | (02)584-2927

전화 | 교재 문의 (02) 6466-7202, 동영상 문의 (02) 6466-7201

저자와의
협의하에
인지생략

ISBN 979-11-6987-945-3 | 979-11-6987-943-9(세트)

정가 28,000원(분권 포함)